Dérapages incontrôlables

DES MÊMES AUTEURS

STEPHEN FRY

Le Faiseur d'histoire, Les moutons électriques éditeur, coll. « La bibliothèque voltaïque », 2009. Folio SF, 2011.

Mensonges mensonges, Belfond, 2002. J'ai lu, 2008.

L'Île du Dr Mallo, Belfond, 2002. J'ai lu, 2009.

L'Hippopotame, Belfond, 2000. J'ai lu, 2002.

Cher Oscar, (préface de Stephen Fry), Éditions du Rocher, 2000.

HUGH LAURIE

Tout est sous contrôle, Sonatine, 2009. Points, 2010.

Stephen Fry
Hugh Laurie

Dérapages incontrôlables

traduit de l'anglais
par Yves Sarda

Éditions Baker Street

Ouvrage publié sous la direction
de Cynthia Liebow

Photographie de couverture :
Copyright © BBC Photo Library

Photographies intérieures :
Copyright © BBC Photo Library

Titre original :
A Bit of Fry and Laurie

Éditeur original :
Mandarin Paperbacks
An Imprint of Octopus Publishing Group, Londres, 1990

ISBN original : 0-7493-0705-6

ISBN : 978-2-917559-53-6

À Bobby Robson

Mille mercis à Roger Ordish pour avoir réussi à produire notre émission entre maints épisodes de « Sir James Savile jouera de son influence pour arranger les choses à votre entière satisfaction[1] *», ainsi qu'à Uri Geller d'être aussi risible et également merci au serveur qui a retrouvé les lunettes de Stephen.*

1 Titre parodique de l'émission *Jimmy'll Fix It* (« Jimmy vous arrangera ça »), produite par Roger Ordish, producteur également de *A Bit of Fry and Laurie*.
Uri Geller prétendait avoir des pouvoirs paranormaux lui permettant de tordre des cuillères par la pensée, entre autres exploits (cf. : le sketch « En tordant des cuillères avec Mr Nu Comme Un Ver »). (N.d.T.)

Introduction

Stephen Alors, Hugh, voici donc le livre.

Hugh Tout à fait.

Stephen Bien dit. (*Léger temps*) Au fait, tu aurais un conseil pour quelqu'un qui vient de prendre ce bouquin en main, disons, dans l'une des nombreuses librairies où s'empile ce nouvel et important ouvrage, quelqu'un qui envisage, au cas où il ou elle n'en ferait pas l'acquisition, de le glisser discrètement dans son pantalon ?

Hugh Ma foi, Stephen, j'aimerais d'abord féliciter le voleur potentiel de son bon goût, mais j'aimerais assez habilement assortir mon compliment d'une mise en garde ou autre avertissement.

Hugh s'interrompt et regarde par dessus l'épaule de Stephen. Un temps longuet.

Stephen Oui. Je me creuse la cervelle pour savoir de quelle nature pourrait bien être ladite mise en garde ou ledit avertissement, Hugh.

Hugh (*Revenant sur terre*) Désolé, j'ai cru apercevoir quelque chose de sombre, de saisissant et de désagréable.

Stephen Ton imagination a dû te jouer un tour.

Hugh Sans doute. Non, la mise en garde, l'admonestation ou l'avertissement que je ferais au voleur potentiel de ce livre serait la suivante : Peu importe qui vous êtes, peu importe votre nom, peu importe que vous fuyiez au bout du monde, que vous avanciez masqués avec des bandes Velpeau ou l'astuce qui consiste à vous appliquer des yaourts aux parfums différents, on vous traquera et on vous anéantira.

Stephen Au final.

Hugh On vous anéantira au final. Et ce faisant...

Stephen Eh bien...

Hugh Parfaitement.

Stephen Bon. Ne l'oubliez pas, c'est dit. Rien ne vous sert de courir, on vous rattrapera à point.

Hugh On sera là. De l'autre côté de la rue. Derrière des lunettes noires.

Stephen Les bras croisés.

Hugh On vous observera.

Stephen Avec un air de reproche silencieux.

Hugh Donc, contentez vous d'aller au trot acheter ce livre en liquide à la sympathique caissière.

Stephen Entre autres choses, vous découvririez, si vous passiez outre, qu'aucune de nos blagues ne vous ferait rire.

Hugh C'est vrai. La chute de chaque sketch serait plus boiteuse que...

Stephen Plus boiteuse que...

Hugh Plus boiteuse qu'un truc maxi boiteux, particulièrement boiteux à l'heure qu'il est.

Stephen Parfaitement. Mais hé. Le côté sérieux, c'est terminé. Parlons un peu de la genèse de ce livre à l'honnête acheteur ou acheteuse lambda, étonnamment jolis d'ailleurs, qu'en dis-tu, Hugh ?

Hugh Ce livre n'a pas de genèse, Stephen. Tu confonds avec la Bible.

Stephen Ah ah, ton incompréhension est quasi risible, Hugh. J'entendais « genèse » au sens de « origine ou création ».

Hugh (*S'essuyant les yeux en riant*) Oh ! Je vois ! Et *moi* qui croyais...

Stephen (*Se tordant*) Oh là là.

Ils pouffent longuement. À se rouler par terre.

Stephen Mon Dieu.

Au bout d'un moment ils se relèvent et poursuivent.

Stephen Non, ce livre résulte, tu es bien d'accord, Hugh, d'une pression commerciale énorme exercée sur nous afin que les textes de notre émission soient disponibles noir sur blanc pour le grand public.

Hugh Quand tu dis « pression commerciale énorme », tu entends par là...?

Stephen J'entends par là qu'un cadre de l'édition bourré et grassement payé a jugé que ce serait là un bon moyen d'échapper à une éventuelle charrette.

Hugh Oui.

Stephen L'écriture de ces sketches s'est étalée sur une période de... combien, Hugh ?

Hugh Une période d'un certain temps, si je me rappelle bien.

Stephen Une période de plusieurs mois entre juin et décembre 1987.

Hugh Le monde était jeune alors et tout paraissait en fleurs.

Stephen Pourquoi avons-nous écrit ces sketches, vous demandez-vous peut-être ?

Hugh Bon, inversons la question si tu le permets et disons : « Pourquoi avons-nous sketché ces écrits, vous demandez-vous peut-être ? »

Stephen Bon, inversons *cette* question si tu le permets et disons : « Pourquoi avons-nous écrit ces sketches, peut-être vous demandez-vous ? »

Hugh Parce qu'ils étaient là.

Stephen Non, Hugh, parce qu'ils *n'y étaient pas.* Tout vient de là. Incroyable, mais vrai, personne n'avait écrit ces sketches avant nous.

Hugh Les Monty Python avaient écrit quelque chose d'assez semblable pourtant, non ?

Stephen a l'air mal à l'aise.

Stephen (*Entre ses dents*) Tais-*toi,* Hugh.

Hugh Pardon.

Stephen Non, comme on l'a dit, ces sketches ont germé à l'origine dans notre seule tête à nous.

Hugh Ce sont nos bébés.

Stephen En un sens, oui. Dans un sens totalement inacceptable.

Hugh Oui, car ça ne veut pas dire au pied de la lettre qu'on a couché ensemble, en s'introduisant, mutuellement, divers bouts et embouts charnus dans des recoins douillets, avant d'accoucher d'une pile de feuilles de papier recouvertes de matos à sketches, n'est-ce pas Stephen ?

Stephen Hugh.

Hugh Oui ?

Stephen Ferme ton clapet un instant, tu veux ?

Hugh Dacodac.

Stephen Ces sketches sont là pour votre parcourement et amusage, afin que vous en fassiez ce que bon vous semblera.

Hugh Selon certains paramètres légaux assez excitants.

Stephen C'est juste. On se doit de vous préciser que vous ne pouvez pas *interpréter* en réalité ces sketches devant un public payant.

Hugh Quoique, que quiconque ait envie d'interpréter ces sketches en public me dépasse d'un fer à repasser.

Stephen Oh je n'en sais rien, Hugh.

Hugh Ah bon ?

Stephen Non.

Hugh Oh.

Stephen Imagine qu'un groupe de terroristes vient de détourner ton avion et que leur chef, un dénommé Miguel, un individu des plus violents, menace de flinguer tous les passagers sauf si l'un d'eux peut lui interpréter le sketch « Coupe de Cheveux » dans les toilettes de la Classe Club.

Hugh Tu as raison, bien entendu. C'était idiot de ma part de dire ça.

Stephen Bon, en de telles circonstances, il serait tout à fait illégal que tu accèdes à son souhait.

Hugh Tu as parfaitement raison. On ne traite pas avec des terroristes.

Stephen Tout ce qu'on pourrait suggérer, c'est que tu écrives un sketch très proche de « Coupe de Cheveux » en promettant de l'avoir terminé et d'avoir commencé les répétitions avant l'entrée de l'avion dans l'espace aérien libyen.

Hugh Oui. Souviens-toi seulement que Miguel fait plus de peur que de mal.

Stephen Et qu'il ne supporte pas l'emploi des verbes irréguliers.

Hugh Voilà qui règle la question. Autre chose que le consommateur avisé doit savoir afin d'extraire un plaisir maximal de la lecture de ces pages, Stephen ?

Stephen Oh, rien d'autre que l'essentiel. Consulter son médecin de famille, essuyer toutes les surfaces avec un chiffon humide et ne pas s'endormir, la tête posée sur le rail d'une voie ferrée.

Hugh Conseil judicieux. Quoique, Stephen n'y a t-il pas une mesure vitale qu'on doit prendre avant de consulter son médecin de famille ?

Stephen Tout à fait, Hugh. Avant de consulter votre et cætera, prière prière prière de consulter votre et cætera.

Hugh Pour ceux d'entre vous qui nous lisent en noir sur blanc, Stephen a mis énormément l'accent sur le troisième « prière ».

Stephen Oui. Tout en espérant ne pas avoir totalement négligé les deux premiers.

Hugh Bien sûr que non.

Stephen Après avoir pris ces mesures de bon sens essentielles, il suffit simplement de se relaxer. Se débarrasser de ses chaussures, se glisser dans un ample kimono et se rendre à la caisse pour acheter le bouquin.

Hugh Quoique, si vous l'avez lu jusqu'ici sans l'acheter, on puisse en déduire qu'il doit sacrément pleuvoir dehors.

Stephen On dirait que ça s'éclaircit un peu...

Hugh T'sais, tu pourrais bien avoir raison...

Coupe de cheveux

Stephen est habillé en coiffeur. Hugh entre dans le salon.

Stephen Bonjour, monsieur.

Hugh 'Jour.

Stephen Oui, monsieur. Je crois qu'on est bien partis pour le beau temps, comme on dit. Ni trop chaud, ni trop doux non plus.

Hugh Mmm.

Stephen Concernant le dernier week-end, puis-je demander à monsieur s'il a joui d'un temps plaisant ou si les conditions météos se sont révélées d'une nature contraire ?

Hugh Très agréables, merci.

Stephen Merci, monsieur. Très agréables. Bon. Alors, si j'ai l'audace d'anticiper la réponse de monsieur, j'en déduis que monsieur se trouvait lors de cette période hors du périmètre du Lincolnshire où, à ce que j'ai cru comprendre, il a plu comme vache qui pisse.

Hugh Non, je n'étais pas du tout du côté du Lincolnshire.

Stephen Monsieur, je suis tout transporté d'apprendre pareilles nouvelles.

Hugh Ma femme et moi avons passé le weekend à Hull, dans le Yorkshire de l'Est.

Stephen Monsieur est marié ?

Hugh Oui.

Stephen Je n'en avais absolument pas idée.

Hugh Ben, peu importe...

Stephen Monsieur, dans un avenir encore imprécis, me pardonnera-t-il de ne pas l'avoir félicité d'entrée pour son enjouement au rayon des bonnes nouvelles ?

Hugh Bien entendu. Je ne m'attendais pas à ce que vous...

Stephen Monsieur me jugera-t-il d'une effronterie dépassant toutes les bornes si, au nom de tout le personnel, j'envoie un bouquet d'espèces florales à Madame Monsieur ?

Hugh Ma foi, ça ne me paraît pas vraiment nécessaire.

Stephen Monsieur, depuis mes débuts dans la coiffure, il n'y a pas encore trente-neuf ans révolus, la phrase « pas vraiment nécessaire » a ni plus ni moins toujours été un aiguillon pour me hâter d'agir.

Hugh Eh bien, merci, c'est très aimable à vous...

Stephen Parfait, monsieur. Passons à nos affaires. Étant l'un des plus sagaces messieurs que j'aie eu le privilège de rencontrer, vous tenez sans nul doute à exploiter les avantages sociaux et financiers inhérents à une coupe de cheveux ?

Hugh Une coupe de cheveux, c'est exact.

Stephen Bien sûr. Une coupe de cheveux, c'est de l'optimisation capillaire si monsieur veut bien ne pas me trancher la gargoulette d'être aussi vieux jeu. Et maintenant, les cheveux en question sont ceux de...?

Hugh Quoi ?

Stephen Les cheveux présentement soumis à ma recommandation appartiennent à...?

Hugh Que voulez-vous dire par là ?

Stephen Ce que je veux dire ?

Hugh Oui.

Stephen Aha. J'en viens en tapinois au soupçon que monsieur m'a distribué le rôle de la souris dans son célèbre jeu de chat.

Hugh Mais de quoi parlez-vous ? Il s'agit de mes cheveux. Je veux que vous me les coupiez.

Stephen Ah. Donc, les cheveux de monsieur sont ceux sur lesquels la totalité de cette transaction doit être fondée ?

Hugh Ma foi, oui, bien sûr. Pourquoi entrerais-je ici afin de faire couper les cheveux de quelqu'un d'autre ?

Stephen Monsieur. Je vous permets de me cramer la grappe si je tente de faire passer une coupe de cheveux pour plus glamour qu'elle ne l'est en réalité, mais puis-je vous préciser simplement ceci : on ne saurait être trop prudent dans ma position.

Hugh Vraiment ?

Stephen Oh oui, monsieur. Une fois et une seule, j'ai coupé les cheveux d'un client contre sa volonté. Croyez-moi quand je vous dis que ça a été à la fois difficile *et* impossible.

Hugh Oui, ben, ce sont mes cheveux que j'ai envie qu'on me coupe.

Stephen Vos cheveux.

Hugh Oui.

Stephen Les cheveux de monsieur.

Hugh Oui.

Stephen Excellent. Bon, passons au stade suivant, et le plus important. Lequel ?

Hugh Quoi, lequel ?

Stephen Lequel parmi les multiples cheveux de monsieur, ce dernier aimerait-il confier à mes soins professionnels dans le dessein de s'assurer de leur coupement à bonne fin ?

Hugh Ben, tous.

Stephen Tous les cheveux de monsieur ?

Hugh Oui.

Stephen Monsieur en est absolument sûr ?

Hugh Bien entendu que j'en suis sûr. Qu'est-ce qui vous prend ?

Stephen Je ne cherche pas à remettre en question la décision drastique de monsieur, seulement à exprimer la profondeur de mon humilité à la perspective d'une tâche aussi magnifique.

Hugh Eh bien, tous.

Stephen Tous. Ma parole.

Hugh Y a-t-il un problème ?

Stephen Aucunement. J'espère juste que monsieur pourra trouver un créneau dans son planning trépidant par ailleurs afin d'apprécier que pour moi couper chaque cheveu de monsieur représente le sommet himalayen de ma carrière de coiffeur.

Hugh Mais vous l'avez déjà fait, n'est-ce pas ?

Stephen Oui, en effet, monsieur. Une fois, j'ai coupé tous les cheveux sur la tête d'un client au Caire, peu après la Guerre, quand dans ce monde en tumulte, tout semblait possible à un jeune homme.

Hugh Une seule fois ?

Stephen Il serait absurde pour moi de nier que j'étais plus en forme et avais meilleure mine alors, mais espérons, au nom de monsieur et d'Alice, que la magie ne s'est pas totalement évaporée dans le terrier du lapin blanc. Nous allons bien voir.

Hugh Attendez un instant. Attendez juste une pinute à merdre.

Stephen Monsieur ?

Hugh Vous n'avez coupé des cheveux, globalement s'entend, qu'une seule fois depuis la seconde guerre mondiale ?

Stephen Monsieur aurait-il préféré que dans le domaine du coupage de cheveux en quatre, je me sois gardé vierge pour lui ?

Hugh Je vous demande pardon ?

Stephen Ça, je peux le respecter.

Hugh Quoi donc ?

Stephen Le désir qu'on s'embarque tous deux dans ce périple comme d'innocents voyageurs ouvrant de grands yeux aux abords d'une terre inconnue, ignorant notre destination, insoucieux de notre sort – pour émerger quelque part, un jour, douloureusement meurtris, un peu tristes peut-être, mais au bout du compte, joyeusement vivants.

Hugh Au revoir.

Stephen Monsieur s'en va ?

Hugh Ouaip.

Stephen Pourrais-je avoir la faveur d'une explication quant au pourquoi ?

Hugh Parce que je ne crois pas que tu aies la moindre idée de la façon de terminer ce sketch, et je ne veux simplement pas être dans le coin quand tu tenteras le coup. Ça va être pénible et gênant pour nous deux et, à dire vrai, j'aimerais mieux que ça ne le soit que pour toi.

Stephen Mais monsieur !

Hugh Quoi ?

Stephen Monsieur ne pourrait pas se tromper plus lourdement, même s'il essayait. Je sais précisément comment se termine ce sketch.

Hugh Vraiment ?

Stephen Vraiment.

Hugh Continue alors.

Stephen Ça pourrait réclamer du temps.

Hugh C'est ça, du temps, de la souffrance et de l'embarras. Au revoir.

Stephen Espèce de salaud.

Hugh Nous y voilà.

Stephen Le nombre de fois où j'ai poireauté en attendant que tu accouches d'une chute lamentable.

Hugh Tu vois ? Tu es totalement coincé.

Stephen Pas du tout.

Hugh Ah bah.

Stephen Quarante cinq secondes. Je peux boucler ce sketch en quarante-cinq secondes chrono.

Hugh Ah ouais ?

Stephen Ouais.

Hugh O.K. Quarante-cinq secondes.

Stephen Si monsieur voulait bien reprendre sa posture assise.

Hugh D'accord.

Stephen Puis-je supposer monsieur proche d'un niveau de confort maximal ?

Hugh Quarante secondes.

Stephen Je vais aller à présent chercher l'outillage nécessaire.

Stephen sort.

Hugh Ah bah. Ça va être genre une tronçonneuse ou une saleté de... tccht.

Hugh garde l'œil sur sa montre. Stephen ne réapparaît pas.
Un long temps. Hugh comprend qu'on lui a refilé le bébé.

Hugh Et merde.

En tordant des cuillères avec Mr Nu Comme Un Ver

Hugh et Stephen sont assis dans un studio de télévision. Une lampe de bureau. Hugh est affligé d'un accent agaçant.

Stephen Donc, Mr Nu Comme Un Ver, vous prétendez…

Hugh C'est exact, je prétends, je…

Stephen Oui, vous prétendez être capable de tordre les cuillères grâce à l'énergie psychique…

Hugh L'énergie psychique, oui, c'est la méthode que j'ai choisie, pour tordre les cuillères, oui.

Stephen Depuis combien de temps avez-vous cette capacité ?

Hugh Depuis combien de temps, précisément, c'est absolument juste.

Stephen Eh bien ?

Hugh Vous êtes vraiment très sympathique, merci. C'est très difficile quand les gens ne sont pas sympathiques, mais vous l'êtes. Très.

Stephen Merci.

Hugh Non, merci à *vous*.

Stephen Pouvez-vous faire autre chose avec des cuillères, à part les tordre ?

Hugh Oui, bien sûr. Je peux faire tout et n'importe quoi avec une cuillère.

Stephen Vraiment ?

Hugh Bien entendu que je peux. Donnez-moi une cuillère, et je vous donnerai le monde.

Stephen Voilà une affirmation impressionnante, sans aucun doute.

Hugh Merci.

Stephen Parfait. Eh bien, Mr Nu Comme Un Ver, voici quelques cuillères. Peut-être auriez-vous l'obligeance de nous faire une petite démonstration ?

Hugh Je ne suis pas une bête de foire, vous savez.

Stephen J'en suis bien conscient.

Hugh Certains le croient. Je n'en suis pas une.

Stephen Ma foi, je suis certain que personne ici...

Hugh « Sale monstre ! » on me crie parfois dans la rue.

Stephen Vraiment ? C'est affreux.

Hugh Mais vous êtes très sympathique.

Stephen Merci.

Hugh Merci.

Stephen Auriez-vous l'obligeance d'essayer de tordre cette cuillère pour nous ?

Hugh Merci, oui, je vais tordre cette cuillère.

Stephen Mesdames et messieurs, Mr Nu Comme Un Ver va maintenant tordre cette cuillère grâce à son énergie psychique.

Hugh C'est exact, bon, je vais la tordre maintenant.

Stephen Quand vous voudrez, Mr Nu Comme Un Ver.

Hugh tord visiblement la cuillère de ses mains.

Hugh Merci infiniment, vous êtes tous très sympathiques.

Stephen Ma foi, la cuillère est tordue, assurément.

Hugh Bien sûr, pour être tordue, elle l'est bel et bien. J'ai tordu cette cuillère, donc bien entendu que tordue, elle l'est.

Stephen Oui, c'est très clair et sans discussion possible.

Hugh Pardonnez-moi, là, je suis très fatigué. Tordre une cuillère est épuisant, et j'en ai trop tordu aujourd'hui.

Stephen Combien avez-vous tordu de cuillères, aujourd'hui ?

Hugh Quatre, rien qu'aujourd'hui. C'est trop. Je ne suis pas une bête de foire ni Elephant Man, vous savez, je suis un être humain.

Stephen Pardonnez-moi, Mr Nu Comme Un Ver…

Hugh Je vous en prie.

Stephen Merci.

Hugh Merci.

Stephen Mais de là où j'étais assis, il m'a semblé que vous avez simplement tordu cette cuillère avec vos mains.

Hugh Que dites-vous ?

Stephen Je dis juste que…

Hugh C'est quoi, ça ?

Stephen Une cuillère tordue.

Hugh Voilà.

Stephen Oh tout à fait, le problème est comment l'avez-vous tordue ?

Hugh Je ne sais plus trop si je vous apprécie toujours autant, maintenant.

Stephen Ma foi, vous m'en voyez désolé.

Hugh Avant ça, je vous trouvais très sympathique...

Stephen Ma foi, j'espère que...

Hugh Mais à présent, je ne vous trouve plus aussi sympathique. Maintenant, je ne vous aime pas.

Stephen Je suis désolé d'entendre ça.

Hugh Du tout.

Stephen Êtes-vous bien sûr que ce n'est pas « Sale menteur » qu'on vous crie dans la rue au lieu de « Sale monstre » ?

Hugh C'est vous qui prétendez. J'ai toujours été honnête, moi. Je tords les cuillères grâce à l'énergie psychique, je vous l'ai dit. Je n'ai jamais prétendu les tordre avec mes mains. C'est vous qui le prétendez.

Stephen Et vous l'avez bien tordue avec vos mains.

Hugh La cuillère est tordue, c'est suffisant. Peut-être qu'elle circule à travers mes mains, cette énergie psychique, comme vous le prétendez. C'est possible. La cuillère est tordue, pour de bon. Par conséquent, je l'ai tordue.

Stephen Mais je peux tordre une cuillère avec mes mains, moi aussi.

Hugh Je n'ai jamais dit que mes pouvoirs étaient uniques. Je me suis toujours efforcé d'enseigner au monde que tout un chacun peut tordre une cuillère. Mon bouquin n'est pas cher.

Stephen tord une cuillère.

Stephen Voilà.

Hugh Dire que je vous trouvais sympathique. Je vous déteste maintenant.

Stephen Bien, la semaine prochaine, j'examinerai les affirmations d'un homme qui prétend avoir été le Baron Kenneth Baker, ancien ministre de l'Éducation, dans une vie antérieure et je m'entretiendrai avec une femme qui prétend faire pousser des fleurs en plantant seulement des graines dans le sol et en les arrosant. D'ici-là, restez sagement assis sur vos sièges, s'il vous plaît. Bonsoir.

Hugh (*Simultanément*) Si les téléspectateurs du Derbyshire ont l'extrême amabilité d'aller vérifier leurs tiroirs à couverts chez eux, ils y découvriront une cuillère tordue et un bon cadeau spécial des céréales Weetabix. Je peux aussi vous révéler que tous les habitants de la ville de Datchett, dans le Buckinghamshire, âgés de quatorze ans ou plus, sont atteints d'une légère démangeaison juste au dessus de la cuisse droite qu'ils grattent au moment même où je parle. Merci.

Critiques 1

Stephen et Hugh sont assis sur des fauteuils pivotants, coiffés à l'avenant. À les voir et les entendre, ils ont l'air presque aussi suffisants, flagorneurs et antipathiques que de vrais critiques.

Hugh Simon Clituris, vous venez de regarder ce sketch... je suppose que vous êtes déçu ?

Stephen Ma foi, franchement, je l'ai trouvé prévisible.

Hugh Vous aviez prévu la chute, c'est ça ?

Stephen Absolument, et je pense que c'est en cela qu'il était prévisible. Le choix de leurs cibles l'était...

Hugh Les agents immobiliers...

Stephen Où ça ?

Hugh Leur dernier sketch prenait pour cible les agents immobiliers.

Stephen Je n'ai pas remarqué.

Hugh Et bien entendu, le choix de la langue employée était prévisible...

Stephen Précisément. L'Anglais était tristement prévisible comme langue choisie.

Hugh Ce qui est dommage.

Stephen Vraiment dommage. Si on ne le parle pas.

Hugh Et encore plus dommage si on le parle.

Stephen Ah ah ah.

Hugh Ah ah ah.

Stephen Mais je suppose qu'on aurait pu le prévoir.

Hugh Oui, je suppose. Pouvez-vous prévoir quel sera leur prochain sketch ?

Stephen Oh mon Dieu, oui. Une parodie de *L'Île au Trésor*. Obligé.

Cut sur quelque chose d'aussi éloigné d'une parodie de L'Île au Trésor *qu'il est émotionnellement possible.*

VOX POPULI

Hugh Je me souviens exactement de ce que je faisais quand j'ai appris cette info. J'écoutais les infos.

Experts

Stephen et Hugh jouent les hommes d'affaires qui se donnent beaucoup d'importance.

Hugh Du calme, John... ça ne nous mènera nulle part...

Stephen Ne me dis pas de me calmer. Nom de Dieu, Peter, il me faut des réponses, et il me les faut vite.

Hugh Des réponses ? Un peu tard pour tout ça, tu ne crois pas ? (*Il boit*)

Stephen Merde, quelle mouche t'a piqué, Peter ? Tu sais aussi bien que moi, qu'« un peu tard pour tout ça. », ça n'existe pas.

Hugh D'accord.

Stephen Alors accouche. C'est quoi la situation ?

Hugh Marjorie veut prendre le contrôle de Derwent Entreprises, et de mon point de vue, elle va y arriver.

Stephen Marjorie ? Nom de Dieu, Peter, Marjorie n'est qu'une gamine.

Hugh Va le dire au conseil d'administration.

Stephen Fais gaffe. J'en serais bien capable. (*Il boit*)

Hugh Bonne chance.

Stephen C'est-à-dire ?

Hugh On va te rire au nez, John. Comme on me l'a fait à moi. Ils mangent dans la main de Marjorie.

Stephen Bon. J'irai trouver le vieux Derwent en personne, alors.

Hugh Arrête ton cirque, John. Personne n'a parlé au vieux Derwent depuis des années. L'homme vit reclus. C'est sans espoir, c'est moi qui te le dis. Marjorie a gagné sur toute la ligne. Et sans tirer un seul coup de feu. (*Il boit*)

Stephen Écoute-moi bien, Peter. Marjorie a peut-être gagné la guerre, mais elle n'a pas gagné la bataille.

Hugh Bordel, John, tu mijotes un truc. Je connais ce regard-là.

Stephen T'as vachement raison : je mijote un truc.

Hugh Bordel.

Stephen Quoi ?

Hugh Qu'est-ce que tu mijotes ?

Stephen Un truc. Je mijote un truc.

Hugh Bien ce que je pensais.

Stephen Je te veux dans mon camp sur ce coup-là, John.

Hugh Bordel, John, je suis à fond avec toi, tu le sais bien.

Stephen Je n'ai pas terminé. C'est absolument obligatoire que tu marches avec moi à ma façon. Les choses risquent de craindre un peu au cours des prochaines quarante-huit heures. (*Il boit*)

Hugh Tu me connais, John. Craindra bien qui craindra le dernier.

Stephen Ça fait du bien à entendre. Appelle O'Neill pour moi, tu veux ? Obtiens de lui qu'il repousse la séance.

Hugh Que lui dirai-je ? (*Il boit*)

Stephen (*Criant*) Raconte-lui ce que tu voudras, merde – fais en sorte que je gagne du temps !

Hugh Bordel, John, ça fait du bien de t'avoir de retour à bord.

Stephen Tu ferais mieux de garder les discours sympas pour plus tard, Peter, une longue soirée nous attend. (*Il boit*)

Hugh Comme au bon vieux temps, hein, John ?

Stephen Bien sûr, Peter, bien sûr.

Hugh (*Composant le numéro*) C'est marrant, tu sais. J'ai traversé en voiture High Wycombe pas plus tard que l'autre jour... (*Au téléphone*) : Allô ? Peter à l'appareil. Passez-moi O'Neill.

Stephen Et fissa.

Hugh Et fissa. (*Un temps*) Redites-moi ça ? Bordel.

Stephen Quoi ?

Hugh O'Neill n'est pas en ville et il est injoignable.

Stephen Bordel de merde et merde de bordel.

Hugh Oui. Tonnerre de merde et double bordel.

Stephen Merde.

Hugh Tu veux que j'essaie Amsterdam.

Stephen Non.

Hugh Mais...

Stephen Voyons, Peter, tu n'as pas les idées claires. Amsterdam est trop évident. Marjorie n'a jamais fait dans l'évidence. C'est pour ça que je l'ai aimée.

Hugh (*Il boit*) Parbleu, ça, c'est un événement. Je n'aurais jamais pensé que j'entendrais un jour un vieux briscard comme toi parler d'amour.

Stephen L'amour n'a rien d'effrayant, Peter. Pas besoin d'être diplômé d'Harvard pour savoir que la chambre à coucher et le conseil d'administration sont les deux faces de la même pièce. Je me demande…

Hugh Essaie toujours. Vas-y.

Stephen Tires-en la conclusion. Un paquet d'actions ordinaires non libérées canalisé via Genève. Une mise en circulation de façon détournée et soigneusement échelonnée d'actions privilégiées IDL, soutenue par un droit préférentiel notionnel. Qui va faire la grimace, alors ? (*Il boit*)

Hugh Bordel, John, ça commence à tenir debout. Tu veux que j'essaie Sydney ?

Stephen Voyons, Peter, ne t'endors pas. Il est déjà en Australie à l'heure qu'il est.

Hugh Bordel. Attends un instant. On remontera jusqu'à nous ?

Stephen Un stratagème pareil ? Il portera la signature de Seagrove partout, John.

Hugh Retour à la case départ. Et ça nous laisse toujours avec Marjorie sur les bras.

Stephen Bordel.

Hugh (*En chuchotant mystérieusement*) Elle en a *après quoi* ?

Stephen Inutile de se poser la question, Peter. J'ai renoncé à essayer de comprendre Marjorie depuis longtemps.

Hugh Ouais. Les femmes.

Stephen Marjorie et les femmes, ça fait deux, Peter.

Hugh Oui, bien sûr que oui, John. Pardonne-moi. Je n'y entendais pas malice.

Stephen Il y a quelque chose qui m'a toujours interrogé. Comment se fait-il que tu sois resté près de Nancy si longtemps ?

Hugh Je n'ai jamais été à Nancy, John.

Stephen Non, ta femme.

Hugh Oh, Nancy. Tu sais. Les mauvais et les bons côtés. On y travaille. On fait de son mieux. Jamais assez de temps. On continue à bosser, de longues heures, on pense qu'on sait mais bien entendu, on ne sait pas, on examine le problème sous tous les angles, si on me parle de stress, je réponds que je suis marié avec.

Stephen Ai-je raison de penser que tu as une fille ?

Hugh Ouaip. Henrietta.

Stephen Ah oui ? Ah oui vraiment ? Ça a dû faire mal. Faire un mal de chien comme sur un scooter des mers.

Hugh Tu n'as jamais eu d'enfants de ton côté, je crois ?

Stephen Tu te trompes, Peter. Tu te trompes lourdement.

Hugh Oh, je te demande bien pardon.

Stephen On siège là, au milieu de mes enfants, à l'instant même.

Hugh J'ai dû mal vous comprendre, John.

Stephen La compagnie, Peter.

Hugh Ah oui.

Stephen J'ai tout donné à cette compagnie. (*Criant soudain*) Bordel New York aurait dû appeler à l'heure qu'il est !

Hugh Du calme, John. Il est encore tôt.

Stephen Je sais, Peter. Mais il ne restera pas tôt très longtemps.

Stephen va à la fenêtre.

Hugh New York va faire signe, John. Je sais que oui.

Stephen (*À la fenêtre, regardant à l'extérieur*) Je l'espère bien. Il y a six millions d'individus là-bas, Peter.

Hugh Vraiment ? Et ils veulent quoi ?

Stephen Qui sait ? Peter ?

Hugh Ouais.

Stephen Moi je dis qu'on marche.

Hugh D'accord.

Stephen Si New York appelle, on leur répond par l'affirmative.

Hugh Je vais le dire à Susan.

Stephen Et maintenant, tirons-nous d'ici.

Hugh T'es sûr de ça ?

Stephen Ouais. Je ne crois pas que même nous deux, on puisse supporter un tel niveau de travail à haute tension sans descendre faire un break.

Hugh Tu as raison, bordel.

Stephen En outre, je boirais bien un coup…

Gordon et Stuart mangent grec

Stephen (Gordon) et Hugh (Stuart) sont attablés dans un restaurant grec. Musique d'ambiance.

Hugh Ouais, j'aime bien manger grec de temps en temps, Gordon. C'est de la cuisine basique, sans chichis.

Stephen Ouais, moi-même, je n'ai rien contre, Stuart.

Hugh Non ?

Stephen J'ai un énorme faible pour les plats grecs, il se trouve. Un énorme faible.

Hugh Bien. (*Lui indiquant le menu*) Ne nous embarrassons pas de ça. Je vais papoter avec le super serveur-chef en personne. Tout ceci n'est bon que pour les clients de passage.

Stephen Tu as raison.

Hugh Écoute-moi cette musique de bazooka, Gordon. La rencontre de l'Orient et de l'Occident.

Stephen J'adore.

Hugh On a beaucoup à apprendre des Grecs, tu sais. Après tout, ils nous ont donné le mot « civilisation ».

Stephen Je pensais que c'étaient les Romains.

Hugh Ce sont les mêmes peuples sur un plan ethnique, Gordon. Le mot « économie », aussi. Des gens pointus, ces Grecs. Très pointus.

Stephen Et la tournure « guénoïmen[1] ».

Hugh Quoi ?

Stephen Ils nous ont donné ça aussi. Je suppose qu'on le leur a rendu, quasi aussi sec.

Hugh Coriaces, tes Hellènes. Aussi durs que les rocailles escarpées qui constituent leur environnement d'îles et de collines.

Stephen Tsscchtt. Tu sais que je ne serais pas autrement surpris qu'on puisse en tirer un enseignement, quelque part.

Hugh Il y en a très certainement un. J'ai souvent songé à publier un papier sur la corrélation entre environnement et sens des affaires.

1 « Puissions-nous être », tournure optative en grec ancien. (N.d.T.)

Stephen Super sujet, Stu. Tu pourrais filer des hémorroïdes à quelques postérieurs avec un papier pareil. L'Institut des cadres supérieurs deviendrait chèvre et ramperait à quatre pattes pour ce genre de théorie.

Hugh Je le crois, Gordon. Je le crois. Prends mon cas. Moi même, si on remonte très loin en arrière, mes parents viennent du Yorkshire. Tu me suis ? Hauteurs calcaires, landes impitoyables, vals accidentés. Un beau et vaste terroir d'hommes durs et inflexibles.

Stephen Mais tu es né dans le Surrey.

Hugh J'ai du calcaire dans le sang. On le voit à ma façon de me conduire en affaires. D'où tu sors, Gordon ?

Stephen Du Lincolnshire.

Hugh Euh. Tu vois ? Plat, apathique, soumis, terne, prudent, indécis, toujours en retard aux réunions...

Stephen Certes, le Lincolnshire est plat, Stu. Mais je n'irais pas jusqu'à dire qu'il est toujours en retard aux réunions...

Hugh (*L'ignorant*) Ouais, peut-être que je publierai ce papier après tout. Peut-être bien que oui.

Stephen Le service se fait un peu attendre.

Hugh Tu vois : réaction typique d'un type des plaines. Ça pue son Lincolnshire à plein nez. Tu dois comprendre que les Grecs font les choses selon leur tempo propre, Gordon. Tout n'est que cycles et rythmes naturels, au tréfonds. Le natif du Yorkshire en moi respecte ça.

Stephen Mais on a envie d'être à l'heure au match de basket, Stuart.

Hugh (*Criant)* On réclame un serveur ! Et que ça saute à cette table !

Arrivée du Serveur. Un grec jovial.

Serveur Bon après midi, très chers amis.

Hugh O.K., *kalispera.*

Serveur Ah. C'est le déjeuner. Vous voulez dire *kalemera.*

Hugh Ma foi, oui, dans certains patois, sans doute. Bon…

Serveur *To piato tees meras chtopothi.*

Hugh Bien, bien. Donc…

Stephen Le plat du jour, c'est du poulpe.

Hugh Je le sais, Gordon. Très bien, même. Et où a-t-il été pêché, ce poulpe ?

Serveur Où il a été pêché ? Quelle question. Dans la mer.

Hugh Bien. Alors, ça devrait être O.K., Gordon, si tu as envie de ça.

Serveur Ce sera...?

Stephen Eh bien, *thelo parakalo dolmades kai filetto soulavki kai nero pagomeno kai ena boukali retsina.*

Serveur *Entaxi. Kai ya sas, kyrie ?*

Hugh Quoi ?

Stephen Tu aimerais quoi, Stuart ?

Hugh La même chose. Carrément. Le hum... *parakalo.*

Stephen *Δvo*

Serveur Certainement, messieurs.

Le serveur sort.

Hugh Et on ferait mieux de commander du vin, tant qu'on y est.

Stephen C'est fait, Stuart.

Hugh Mais bien sûr, tu l'as commandé, ouais. Où avais-je la tête.

Stephen Il est un peu familier, tu ne trouves pas ? « Très chers amis... »

Hugh Ma foi, Gordon, il n'a fait que reconnaître une âme sœur. Il a repéré chez moi l'originaire de landes rocailleuses et il sait que lui comme moi, avons été nourris pour l'essentiel au même granit. Par conséquent, que nous sommes des clients à traiter avec respect, rien à voir avec les habituels chalands de hasard, interchangeables à volonté.

Le serveur entre, avec des assiettes.

Serveur *Dolmades* pour mes deux beaux messieurs anglais, je crois.

Hugh Super.

Stephen Ça m'a l'air bon.

Serveur C'est très bon, mes précieux amis.

Le serveur sort.

Stephen (*Attaquant*) Ah.

Hugh Qu'est-ce que c'est ?

Stephen Eh bien, des *dolmades*.

Hugh *Dolmades* ?

Stephen Des feuilles de vignes farcies.

Hugh Des feuilles de vignes farcies ? Est-ce qu'il essaie de nous truander ?

Stephen C'est un plat grec traditionnel.

Hugh Grec traditionnel… je suis quoi, moi, un paysan ou un cadre dynamique ?

Entre le serveur.

Serveur Tout se passe bien, mes chéris superlatifs ?

Hugh Oui, merci.

Stephen Mon collègue n'aime pas les *dolmades*.

Serveur Mais vous avez demandé des *dolmades*.

Stephen Il ne savait pas ce que c'était.

Hugh Mais si je le savais… ah ah ah ah. Tout est simplement parfait, merci.

Le serveur sort.

Hugh Allons-nous en, Gordon. C'est un vulgaire piège à touristes.

Stephen À Stevenage, en plein Hertfordshire ?

Hugh Pourquoi pas ?

Stephen Mais c'est bon, Stuart.

Hugh Réveille-toi, Gordon, réveille toi ! Bon Dieu, ils ont dû te voir arriver à un kilomètre.

Stephen Tu ne veux pas de tes *dolmades* ?

Hugh J'ai une tête à avoir envie de me fourrer une feuille de vigne farcie dans la bouche ? Non, incroyable mais non.

Stephen Eh bien, moi, je meurs de faim, donc, si ça t'est égal...

Hugh (*Il boit un peu de vin*) Ah c'est le bouquet. Ce vin sent le bouchon.

Stephen Impossible. Il avait une capsule métallique.

Hugh Ne fais pas le malin. Tu n'as qu'à le goûter. (*Tapant sur la table)* Serveur !

Stephen Délicieux.

Hugh Délicieux ? Il y a quelque chose dedans.

Le serveur rentre.

Serveur Oui, mes excellents amis ?

Stephen (*À Hugh)* Il est résiné.

Hugh Exactement. Serveur, le vin s'est résiné dans la bouteille.

Serveur Oui. C'est du retsina.

Stephen Il est censé être comme ça, Stu. On y ajoute de la résine de pin...

Hugh Ouais, grand merci de la précision, Gordon, mais je me targue d'être connaisseur.

Je n'ai pas casqué pour une encyclopédie des vins du monde pour des prunes.

Serveur Le retsina. Très bon.

Stephen C'est délicieux, Stu.

Hugh (*Un temps*) Ben, j'espère que vous m'inviterez à la noce.

Stephen Quoi ?

Serveur Vous réclame pardon ?

Hugh Je présume que vous allez vous marier, tous les deux ?

Stephen Stuart...

Hugh Non, ça crève les yeux, nos six ans d'amitié s'envolent en fumée si tu te mets à prendre le parti du premier Hellène venu contre moi.

Serveur Je crois peut-être que tout n'est pas au mieux pour mes deux amants.

Hugh (*Au serveur*) Vous, je vous arrête tout de suite.

Stephen Écoute, Stu...

Hugh Non, toi, tu m'écoutes, mon poteau. Pendant que tu passais ton temps à suivre des cours linguaphone de monde antique, moi, j'arpentais les rues de Tiverton, Devon, où j'apprenais la vente à domicile.

Stephen Stu...

Hugh Pendant que tu bronzais ton cul poilu sur les plages naturistes de Crète ou de je ne sais où, en éclusant de la térébenthine, en te farcissant des feuilles de vignes avec une bande de pervers, j'obtenais, moi, un master à l'Université des coups durs et des mauvaises surprises. Eh bien, mon vieux – je n'en rougis pas. Ni devant toi ni devant ton gigolo. (*Il se dirige vers la sortie.*)

Stephen Stu ! Où vas-tu ?

Serveur Je peux vous apporter une omelette, si vous préférez, monsieur.

Hugh Laissez tomber. J'ai eu ma dose, Gordon. Je sors me trouver un vrai kebab anglais.

Opérations

Stephen et Hugh sont perchés sur des tabourets.

Stephen Bon, Hugh, je crois que tu as déniché quelque chose d'intéressant dans l'un de tes magazines.

Hugh C'est exact, Stephen.

Stephen Ça concerne un hôpital privé, n'est-ce pas, Hugh ?

Hugh C'est exact, Stephen. Et c'est un détail important.

Stephen Et qui se trouve à Londres, en Angleterre, si ma mémoire est bonne.

Hugh C'est précisément là qu'il se trouve, oui, Stephen. Ce qui m'a tiré l'œil, cependant, en compulsant cette brochure, ce n'est pas tant l'emplacement dudit hôpital que les services qu'il offre.

Stephen Médicaux, ces services, je présume.

Hugh On s'y limite grosso modo à y fournir des services médicaux, oui, Stephen. J'ose dire qu'on tient à s'y consolider en ce domaine avant d'en venir à d'autres activités de loisir.

Stephen Ce qui doit être une pratique commerciale saine, à tous égards.

Hugh C'est juste. Mais bref, cette brochure...

Stephen Ah. Je l'avais presque oubliée.

Hugh Ma foi, ça aurait été une honte, Stephen, car elle contient la liste des services de Collingwood Hospital, y compris la gamme complète des opérations qu'on y pratique, si jamais l'on doit en venir là.

Stephen Aurais-tu l'amabilité de nous en lire certaines à haute voix, Stephen ?

Hugh Mais comment donc, Stephen. D'un simple coup d'œil, je trouve tout sur cette page : de l'appendicectomie à la ponction de moelle osseuse, des greffes d'organe à la chirurgie cardiaque.

Stephen Donc, tout sauf un choix restreint, alors, Hugh ?

Hugh C'est exact. Tout le monde peut y trouver son bonheur. Cet éventail de choix met vraiment l'eau à la bouche.

Stephen Et quelles sont les heures d'ouverture ?

Hugh Eh bien, c'est l'un des grands plus du Collingwood. Il est ouvert vingt-quatre heures sur vingt-quatre.

Stephen Même le week-end ?

Hugh Week-ends et jours fériés.

Stephen Donc le Collingwood Hospital est un endroit idéal où aller en famille ?

Hugh Absolument, Stephen. Il y a des tas d'opérations conçues sur mesure pour les enfants. Par exemple, le redressement des jambes arquées. Les mères de partout et n'importe où, je n'en doute pas, adoreraient s'y rendre pour s'y faire poser une de leurs prothèses de hanche, quant aux pères... ma foi, pourquoi pas y subir l'une de ces interventions cardiaques, mentionnées ci-dessus ?

Stephen À t'entendre, ça promet des week-ends d'enfer. Mais, dis-moi, Hugh ?

Hugh Oui.

Stephen Tu n'as pas précisé les prix.

Hugh Bien entendu. Les prix varient, Stephen, selon l'opération choisie...

Stephen Je m'en doute.

Hugh Tu as raison de douter. En fait, le tarif plancher est de quatre mille livres pour une ablation des amygdales...

Stephen Bien.

Hugh ... et peut grimper jusqu'à soixante mille pour une opération du cerveau de huit heures.

Stephen Donc, en réalité, quel que soit l'état de ses finances, on trouve toujours quelque chose d'adapté à son budget au Collingwood Hospital.

Hugh C'est exact. Mais il y a une clause que j'aimerais préciser.

Stephen Oh ?

Hugh Il faut disposer d'une petite fortune.

Stephen Bonne remarque. Quel que soit l'état de ses finances, tant qu'on dispose d'une petite fortune.

Hugh C'est ça.

Stephen Et si on n'en dispose pas ? Ou si on a envie de faire des économies ?

Hugh Eh bien, dans ce cas, mon conseil serait de... se procurer une bonne paire de chaussures de marche et d'aller faire une randonnée en pleine nature.

Stephen Merci, Hugh. On n'a que l'embarras du choix, sur ce plan-là.

Grille-pain

Hugh entre dans un magasin d'électroménager. Stephen est derrière le comptoir.

Hugh Bonjour. J'aimerais acheter un grille-pain.

Stephen Quelle sorte de grille-pain désirez-vous ?

Hugh Je vous demande pardon ?

Stephen Quelle sorte de grille-pain désirez-vous ?

Hugh Oh. Je vois ce que vous voulez dire. Eh bien, dans l'idéal, j'en désire un qui soit bon à griller le pain...

Stephen Oui.

Hugh ... mais dont on peut se servir aussi comme arme.

Stephen Comme arme ?

Hugh Je vous demande pardon ?

Stephen Comme arme ?

Hugh Oh. Je vois ce que vous voulez dire. Oui, comme arme.

Stephen Mmm. Traitez-moi de con fini, si vous voulez...

Hugh Tout à l'heure, peut-être.

Stephen Comme il vous plaira. Pourquoi voudrait-on se servir d'un grille-pain comme arme ?

Hugh Je vous demande par…

Stephen Pourquoi voudrait-on se servir d'un grille-pain comme arme ?

Hugh Nous vivons des temps incertains, sur les sables mouvants des tensions internationales, dansant en permanence, et avec une incertitude fantasque, au bord de la guerre.

Stephen Bon Dieu.

Hugh Je pense que le choix optimal, vu les circonstances, serait un genre de grille-pain lanceur poids plume.

Stephen Un grille-pain lanceur poids plume ?

Hugh Affirmatif. Je pourrais m'en servir comme arme.

Stephen Pardonnez-moi si je parais insister lourdement, mais ne serait-il pas plus simple d'utiliser une arme comme arme, et un grille-pain comme grille-pain ?

Hugh J'ai déjà une arme.

Stephen Eh bien, ne fonctionne-t-elle pas ?

Hugh Pas comme grille-pain.

Stephen Eh bien, je peux vous assurer que tous nos grille-pains fonctionnent comme grille-pains.

Hugh Mais pas comme armes ?

Stephen Bien peur que non.

Hugh Euh. Ma foi, ça ne sera guère utile quand on se parachutera sur Hyde Park.

Stephen Qui ça « on » ?

Hugh Je vous demande pardon ?

Stephen Qui va se parachuter sur Hyde Park ?

Hugh Eux.

Stephen Qui ça « eux » ?

Hugh J'sais pas. La politique ne m'intéresse pas.

Stephen Je vois.

Hugh J'ai pas eu ce problème avec mon lit.

Stephen Mmm. Votre lit est une arme ?

Hugh Entre de bonnes mains, oui.

Stephen Un lit lanceur poids plume ?

Hugh Soyez pas bête. C'est un lit en mode recherche et destruction. Modifié pour les opérations de contre-insurrection.

Stephen Ah ah.

Hugh Parfait en terrain accidenté, tels les environs de Hyde Park.

Stephen Je vois.

Hugh La boutique de la Compagnie du Lit s'est montrée très serviable.

Stephen Ma foi, si je puis me permettre, vous êtes ici dans un magasin d'ustensiles de cuisine. Si vous désirez des armes, je ne peux m'empêcher de penser que vous auriez meilleur temps de vous adresser à un spécialiste.

Hugh Quel genre de spécialiste ?

Stephen Ne me poussez pas à vous répondre.

Hugh C'est à dire ?

Stephen Rien. Rien. Je pourrais vous suggérer un presse-ail, je suppose.

Hugh Un presse-ail semi-automatique refroidi au gaz pour le corps à corps chasseur-tueur ?

Stephen Ma foi, non, ce n'est pas vraiment une arme. Sauf si le parachutage de gousses d'ail sur Hyde Park vous cause souci.

Hugh En ce moment, je n'ai pas les gousses d'ail dans le collimateur en priorité, comme menace potentielle.

Stephen Avez-vous songé à un bon vieux couteau de cuisine, tout bêtement ?

Hugh Un couteau de cuisine ?

Stephen Oui.

Il sort un couteau.

Hugh Soyez pas bête. Vous pourriez éborgner quelqu'un avec ça.

Stephen Je croyais que c'était ça, l'idée.

Hugh Oh non. Trois fois non. Vous m'avez mal compris. J'ai fondé toute ma vie sur le principe strict de l'auto-défense.

Stephen Vraiment ?

Hugh Tout ce que je veux, c'est être prêt.

Stephen Prêt ?

Hugh Être prêt le jour où on lancera le parachutage sur Hyde Park…

Stephen Ah bon ?

Hugh Et aussi au moment où je me sentirai soudain totalement grillé.

Stephen Je vois.

Hugh Espèce de con fini.

Stephen Pas de quoi.

Prix de poésie

Bureau typique d'un établissement secondaire. Stephen est proviseur. Il a l'air soucieux. On frappe à la porte. Il lève la tête.

Stephen Entrez.

Entre Hugh.

Stephen Ah, Terry, entrez, entrez.

Hugh Merci, monsieur.

Stephen Bien, et maintenant savez-vous pourquoi je vous ai fait venir ?

Hugh Pas vraiment.

Stephen Pas vraiment ? Pas vraiment ? Eh bien, voyons un peu. Primo, laissez-moi vous féliciter d'avoir remporté le prix de poésie de l'établissement.

Hugh Merci, monsieur.

Stephen Mr Ennuyeux Comme la Pluie m'a confié que c'est le poème le plus mûr et le plus enthousiasmant qu'un élève lui ait jamais remis. Ne sucez pas votre pouce, mon garçon.

Hugh Je ne le suce pas, monsieur.

Stephen Non, non bien sûr. Ce n'était qu'un petit conseil d'ordre général pour l'avenir.

Hugh Oh je vois.

Stephen Bon, Terry. Terry, Terry, Terence. J'ai lu votre poème, Terry. Loin de moi l'idée de prétendre être un grand connaisseur en poésie, je suis professeur d'anglais, pas homosexuel. Mais je dois avouer qu'il m'a causé du souci, votre poème.

Hugh Oh ?

Stephen Oui, du souci. Je l'ai ici, hum : « Les corbeaux d'encre du désespoir trouent de leurs griffes le cul de l'esprit du monde », entre nous, c'est quoi ce titre ?

Hugh C'est mon titre, monsieur.

Stephen « Le cul de l'esprit du monde » ? Qu'est-ce que ça signifie ? Quelque chose vous rend malheureux ?

Hugh Ben, je pense que c'est ce que le poème explore.

Stephen Explore ? Explore ! Oh, il l'explore n'est-ce pas ? Je vois. « Des menaces scrotales désarçonnent une question de fleurs. » Entre nous, c'est quoi le problème, mon garçon ? Est-ce que vous nous couvez quelque chose ? Ou bien, est-ce une fille ? C'est ça qui est à la racine ?

Hugh Ben, c'est pas quelque chose que je peux expliquer, monsieur, tout est dans le poème.

Stephen Certes, tout est dans le poème. « J'ai demandé des réponses et n'ai obtenu qu'une poignée d'héroïne en retour. » Bon. Terry. Regardez-moi. Qui vous a donné cette héroïne ? Vous devez me le dire : si c'est là le problème, nous devons y faire quelque chose. N'ayez pas peur de parler haut et fort.

Hugh Ben, personne.

Stephen Terry. Je vais vous reposer la question. C'est écrit noir sur blanc. « J'ai demandé des réponses et n'ai obtenu qu'une poignée d'héroïne en retour. » Bon, Terry, ceci relève de la police. Parlez.

Hugh Personne ne m'a donné d'héroïne, monsieur.

Stephen Alors ce poème n'est qu'un mensonge, hein ? Une fiction, un fantasme ? Que se passe-t-il ?

Hugh Non, tout est vrai, c'est autobiographique.

Stephen Alors, Terry, je dois insister. Qui vous a donné de l'héroïne ? Un autre garçon ?

Hugh Ben, monsieur, vous.

Stephen Moi. Moi ? Que me chantez-vous, là, espèce de malade ? C'est une impertinence nauséabonde et flagrante. Je n'ai jamais donné à quiconque de l'héroïne. Comment osez-vous ?

Hugh Mais non, c'est une métaphore.

Stephen Une métaphore, comment ça, une métaphore ?

Hugh Ça veut dire que je suis venu à l'école pour apprendre, mais que je n'ai obtenu que de la merde au lieu de réponses.

Stephen De la merde ? Qu'est-ce que cela signifie ? Le programme est rigoureusement suiv...

Hugh Ce n'est qu'une opinion.

Stephen Ah bon ? Et ceci, c'est aussi une opinion ? « Quand le temps tomba en se branlant sur le sol, ils lui ont filé un coup de pied dans les dents. » Le temps tomba en se branlant sur le sol ? Est-ce mis là uniquement pour choquer ou est-ce quelque chose de personnel dont vous souhaitez discuter avec moi ? Le temps tomba en se branlant sur le sol ? Ça veut dire quoi ?

Hugh C'est une citation.

Stephen Une citation ? De qui ? Pas de Milton et je suis quasiment certain que ce n'est pas de Wordsworth non plus.

Hugh C'est de Bowie.

Stephen Bowie ? Bowie ?

Hugh David Bowie.

Stephen Oh. Et ceci est-ce aussi de David Bowie : « Dégoût de mon corps, dont la graisse moite dégage des boulettes de sueur des champignons de mes cuisses eczémateuses » ? Entre nous, vous lavez-vous ?

Hugh Bien sûr.

Stephen Pourquoi alors votre corps vous dégoûte-t-il ? Il me semble tout ce qu'il y a de plus normal à moi. Entre nous, pourquoi n'écrivez-vous pas sur les prairies ou autre ?

Hugh Je n'ai jamais vu de prairie.

Stephen Eh bien, à quoi croyez-vous que sert l'imagination ? « Une fille se désape dans ma tête, pompe ma dernière goutte d'espoir en l'essorant puis m'envoie sur les roses dormir seul. » Vous avez quinze ans, Terry, que se passe-t-il en vous ?

Hugh C'est ce que...

Stephen C'est ce que le poème explore, n'en dites pas plus. Je n'arrive pas à vous comprendre, je ne vous comprends pas.

Hugh Ben, vous avez été jeune autrefois.

Stephen Oui, si l'on veut, bien entendu.

Hugh Vous n'avez jamais ressenti la même chose ?

Stephen Vous voulez dire, n'ai-je jamais eu envie « d'incendier les cités défuntes de mon esprit en regardant la peau peler en se gondolant ? » Eh bien, non, Dieu merci, je peux affirmer que non. Il m'arrivait d'être malheureux de temps en temps, si je perdais mon album de timbres ou cassais la lame de mon canif, mais je ne le notais pas ainsi ni ne le montrais à autrui.

Hugh Peut-être qu'il aurait mieux valu pour vous que vous le fassiez.

Stephen Ah vous croyez ça, jeune Terence ? Je suppose que je ne suis qu'une de ces « infortunées bulles de vents anaux pétant avec un clin d'œil dans le bain de la mortalité », n'est-ce pas ?

Hugh Eh bien...

Stephen Votre silence est éloquent. C'est ce que je suis. Une bulle infortunée de vent anal.

Hugh C'est juste ma façon de voir. Et elle est valable.

Stephen Valable ? Valable ? Vous ne parlez pas d'un billet de banque, vous traitez votre proviseur de bulle infortunée de vent anal.

Hugh Ben, j'en suis une, moi aussi.

Stephen Oh très bien, tant que nous sommes tous des bulles infortunées de vents anaux pétant avec un clin d'œil dans le bain de la mortalité, il n'y a bien sûr aucun problème. Mais je n'ai nullement l'intention de claironner ce fait aux parents d'élèves. Si ceci est de la poésie, alors n'importe quel mur de chiottes de Grande-Bretagne en offre une anthologie. Que faites-vous du *Recueil de la Poésie Anglaise d'Oxford* ? Il figure où là-dedans ?

Hugh Peut-être qu'il sert de papier chiottes.

Stephen C'est un trait d'esprit ?

Hugh Je ne sais pas.

Stephen Une nouvelle citation de David Bowie, je subodore, hein ? Je n'y comprends plus rien, je ne comprends plus.

Hugh Pas important, monsieur. Vous êtes un poil frustré peut-être, votre boulot est solitaire.

Stephen Oui, je suis frustré. Mon boulot est solitaire. Tellement solitaire. Les doutes m'assaillent, la peur me tenaille.

Hugh Écrivez-le.

Stephen Hein ?

Hugh Écrivez-le, purgez-vous le système. « Les doutes m'assaillent, la peur me tenaille. »

Stephen Oui, oui – vous croyez ? « Les doutes m'assaillent, la peur me tenaille, je suis balloté par l'écume glaireuse déchiquetée de… de… »

Hugh De la haine ?

Stephen Bien, bien. Et que pensez-vous de « détestation exaspérée » ?

Hugh Beaucoup mieux, vous êtes doué.

Hugh s'éclipse.

Stephen « ... l'écume glaireuse déchiquetée d'une détestation exaspérée. Les traînées morveuses du stupre perforent les boyaux de mes intentions. Mettez vos souliers rouges, Major Tom, *funk to flunky*, David Bowie... *let's dance* ! Et cætera...

Fondu au noir.

Autorité parentale

Stephen, proviseur, est assis derrière son bureau. Hugh entre avec Michael, un jeune garçon.

Stephen Ah bonjour, Michael. Bonjour, Mr Tache.

Hugh Oui, on se dispensera des bonjours, si vous n'y voyez pas d'inconvénient. Je n'ai pas le temps de dire bonjour.

Stephen À votre aise. Vous avez envie de discuter de quelque chose, je pense ?

Hugh Je crois que vous savez la raison de ma présence ici.

Stephen Non, je ne vois pas.

Hugh (*À Michael*) Dis-lui.

Michael a l'air embarrassé.

Stephen Me dire quoi ?

Hugh (*À Michael*) Dis-lui ce que tu as dit à ta mère hier soir.

Michael Les rapports sexuels peuvent souvent provoquer la grossesse de la femme.

Stephen Et ?

Hugh Vous l'avez entendu, hein ?

Stephen Et ?

Hugh Eh bien, j'aimerais une explication, si ce n'est pas trop vous demander.

Stephen Quelle explication ?

Hugh Une explication de l'utilisation par mon fils d'un pareil langage devant sa mère.

Stephen Ma foi, j'imagine que c'est quelque chose que Michael a appris en cours de biologie, j'ai raison, n'est-ce pas ?

Michael Oui, monsieur.

Stephen C'est bien ce que je pensais. Avec Mr Science Infuse. Je suis content de constater que tu assimiles certaines choses, Michael.

Michael Merci, monsieur.

Hugh Ah ça, je dois dire que c'est surprenant, carrément.

Stephen De quoi parlez-vous ?

Hugh Je n'imaginais pas que vous aborderiez ce sujet de manière aussi éhontée.

Stephen Quel sujet ?

Hugh Je suis venu aujourd'hui me plaindre que mon fils se trouve exposé au langage du ruisseau dans la cour de récréation. Je suis franchement stupéfait de découvrir qu'il s'agit de quelque chose qu'on lui a appris au sein même des cours. En deux mots : que se passe-t-il ici ?

Stephen On essaie d'enseigner à votre fils…

Hugh Ah bon ? Oh vraiment ?

Stephen Oui.

Hugh Lui enseigner quoi ? Comment mettre ses parents dans l'embarras ? Comment se piquer à l'héroïne ?

Stephen Je vous assure, Mr Tache, que nous n'avons nullement l'intention de…

Hugh De vous faire passer pour une école ?

Stephen À vrai dire, je ne *me* fais jamais passer pour une école, non.

Hugh Vous devriez avoir honte. Remplir la tête d'un jeune garçon de saletés pareilles. Eh bien, laissez-moi vous dire quelque chose. À propos du monde tel qu'il est en réalité. Vous êtes ici pour prodiguer un service.

Stephen Tout à fait.

Hugh Oui, tout à fait. Ben, je n'en suis pas content. Je ne suis pas content du service que vous prodiguez.

Stephen Préfèreriez-vous que Michael n'assiste pas au cours de biologie ?

Hugh Très certainement, si c'est le genre de mensonges que je peux m'attendre à entendre à table, pendant le repas.

Stephen Ce ne sont pas des mensonges, Mr Tache.

Hugh Ah non ? Que les rapports sexuels peuvent provoquer une grossesse ?

Stephen Oui ?

Hugh Ah Dieu nous garde. Vous êtes d'accord là-dessus ?

Stephen Bien sûr. Puisque c'est vrai.

Hugh Vrai mon cul. Tout ça n'est rien d'autre qu'une rumeur dégoûtante lancée par les jeunes dans le vent des années soixante.

Stephen Des jeunes dans le vent de soixante ans ?

Hugh Dans les années soixante. Les *sixties*. C'est là que tout a commencé. À cause de gens comme vous.

Stephen Mr Tache, la reproduction sexuée fait partie intégrante du programme de biologie depuis des années.

Hugh Je me contrefiche de votre fichu programme. À quoi sert un fichu programme là, dehors ?

Stephen Où ça, dehors ?

Hugh Là !

Stephen La Route d'Arkwright ?

Hugh La Jungle d'Arkwright, je l'appelle, moi.

Stephen Bon, que préfèreriez-vous qu'on enseigne à votre fils, Mr Tache ?

Hugh J'aimerais mieux... j'aimerais mieux que vous lui appreniez les valeurs, Mr...

Stephen Casilingua.

Hugh Casilingua. Les valeurs. Le respect. Les normes. Vous êtes là pour ça. Pas pour empoisonner mon fils à coups de propos sexuels lubriques.

Stephen Donc, Michael est incontestablement votre fils, Mr Tache ?

Hugh C'est mon fils, aucun doute là-dessus.

Stephen On peut donc supposer sans se tromper qu'à un certain stade votre femme et vous avez eu un rapport sexuel ?

Hugh (*Un temps*) Bien. (*Hugh commence à retirer sa veste*) C'est bon. Je vais vous apprendre la vie, moi.

Stephen Vous voilà prêt à vous battre, hein ?

Hugh Oui, et comment. Je ne manquerai pour rien au monde de m'élever contre ça.

Stephen Si vous le permettez, moi, je vais me lever. (*Il se met debout.*)

Hugh Parler ainsi devant mon garçon. Vous êtes un scandale ambulant.

Stephen Mr Tache, laissez-moi vous poser une question : comment Michael pourrait-il être votre fils si vous n'avez pas eu de rapport sexuel ?

Hugh Michael...

Stephen Oui ?

Hugh Michael est mon fils de façon normale.

Stephen De façon normale ?

Hugh Oui.

Stephen Et quelle est la façon normale d'avoir un fils, d'après vous ?

Hugh Si vous cherchez à me faire parler sexe...

Stephen Pas du tout.

Hugh La façon normale d'avoir un fils, c'est de... se marier.

Stephen Et ?

Hugh D'acheter une maison et de s'y installer comme il le faut.

Stephen Oui.

Hugh De la meubler et cætera. Puis... d'attendre un peu.

Stephen Ah.

Hugh De s'assurer qu'on se nourrit correctement. Trois repas chauds par jour.

Stephen Donc, Michael a juste surgi comme ça, c'est bien ça ?

Hugh Euh... bien sûr, ça remonte à quelques années déjà, mais oui, je crois qu'un beau jour, il était là, tout simplement.

Stephen Et vous et votre femme n'avez jamais joui d'aucune intimité sexuelle d'aucune sorte ?

Hugh Oui, c'est très dur pour vous de croire, n'est-ce pas, qu'il reste encore des individus qui peuvent mettre un enfant au monde sans avoir recours au cannabis ni à l'aide sociale.

Stephen Eh bien, je ne sais vraiment pas quoi dire.

Hugh Tu parles, Charles. Ce n'est pas tous les jours qu'un consommateur vient vous trouver avec des exigences, hein ?

Stephen Pas de cette nature, non.

Hugh Oui, bon. Bienvenue aux dures lois du marché, Mr Casilingua.

Stephen O.K. Bien, qu'aimeriez-vous que je fasse ?

Hugh C'est évident, non ? Si je reviens dans un magasin Littlewoods en déclarant que je ne suis pas satisfait, disons, d'un cardigan que j'y ai acheté, on me l'échange. Et volontiers, encore.

Stephen Vous voulez un autre fils ?

Hugh Certainement. On m'a abîmé le mien, maintenant.

Stephen Ma foi, je crains bien que nous n'ayons ici aucun fils de rechange, en tout cas, en ce moment.

Hugh Bon, qu'avez-vous de valeur équivalente ?

Stephen Hum... il y a bien quelques sauterelles dans le labo de biologie.

Hugh Des sauterelles, hum. Pouvez-vous m'assurer que l'une de ces sauterelles ne mettra pas Mrs Tache dans l'embarras en tenant des propos orduriers à table ?

Stephen Je pense que je peux aller jusque là.

Hugh Bon, c'est déjà quelque chose. Combien y en a-t-il ?

Stephen Deux... pour l'instant.

Hugh « Pour l'instant, » que voulez-vous dire par là ?

Stephen Eh bien, simplement que ces sauterelles sont mariées, qu'elles ont acheté leur cage et des meubles, et qu'elles prennent trois repas par jour.

Hugh Des repas chauds ?

Stephen Tiédasses.

Hugh Donc, il se pourrait que Mrs Tache devienne un jour grand-mère ?

Stephen Très probablement.

Hugh (*Ravi*) Ça lui plairait bien, ça.

Talk-show

Hugh est le jeune animateur étonnamment beau d'un nouveau talk-show de Channel Four, étonnamment atroce. Il est derrière son pupitre.

Hugh (*Se référant au sketch précédent, quel qu'il soit*) Bon, c'était le top départ, à ne pas s'y tromper. Mon prochain invité a écrit son premier roman en 1972, l'année des pantalons pattes d'eph taille basse, du Flower Power et cætera. Il n'a pas cessé d'écrire depuis et le voici qui publie un nouvel ouvrage. C'est un type un poil culte auprès des amateurs de sushis et de sashimis, alors je vous demande de le saluer bien bas, et comme il le mérite : Richard Morley !

Stephen entre, légèrement nerveux, l'air grave, aux accents d'une musique criarde jusqu'à l'absurde. Hugh lui tape dans la main de façon ridicule.

Hugh Oui, bienvenue Richard, asseyez-vous, et délestez-vous du poids de vos pages et paragraphes.

Stephen a l'air dérouté par cette blague bizarroïde.

Hugh Bon, dites-moi, ce roman, c'est quoi le titre ?

Stephen Le roman que je viens d'écrire s'intitule *L'Empereur du Dégoût*.

Hugh *L'Empereur du Dégoût*. Plutôt lourdingue à l'oreille.

Stephen Lourdingue ?

Hugh De quoi ça parle ?

Stephen Vous ne l'avez pas lu ?

Hugh Ben, pour nos spectateurs, suivez mon regard. Eux, c'est évident, ne l'ont pas lu. Il ne sera publié que demain, n'est-ce pas ? Comment auraient-ils pu le lire ?

Hugh file un coup de coude à Stephen.

Stephen Oh, je vois. Ma foi, ce n'est pas très facile de vous raconter l'intrigue d'une façon précise car elle est assez compliquée.

Hugh Pure prise de tête intello, je parie. Où ça se situe ?

Stephen Se situe ? Eh bien l'action du roman se déroule sur plusieurs siècles et un nombre différencié de…

Hugh Dites-moi, vous vous servez d'un traitement de texte ? Un truc qui m'a toujours intrigué à propos des écrivains, vous voyez, c'est de savoir comment ils font. Crayon, stylo, machine. Tout ça, quoi.

Stephen Eh bien, j'utilise un traitement de texte, en effet. J'utilisais une machine à écrire, mais…

Hugh Combien de vos romans ont été publiés, alors, au total ?

Stephen *L'Empereur du Dégoût* sera mon septième.

Hugh Le septième ? Vous prenez ça plutôt au sérieux, alors ?

Stephen Oui, oui, en effet. Je prends ça sérieusement. Très sérieusement. C'est mon boulot, voyez-vous. Mon gagne-pain.

Hugh Oui. Bon. Ouais. Dites-moi, d'où sortent vos personnages ? De la vraie vie ?

Stephen Eh bien, d'habitude, je suppose qu'ils résultent d'un amalgame, savez-vous.

Hugh Vous allez me mettre dans un de vos bouquins alors ?

Stephen Ma foi, je crois que je pourrais en réalité.

Hugh (*Que cette idée met aux anges*) Ah ouais ! ?

Stephen Oui. Je trouve que vous êtes vraiment l'individu le plus répugnant et aux idées les plus flatulentes que j'aie jamais rencontré. À maints égards, le matériau idéal pour un romancier.

Hugh part d'un rire du genre « ce vieux schnock, il est juste too much, *non ? »*

Stephen Je ne vois pas ce qui vous fait rire, je vous trouve nul, creux et à côté de la plaque.

Hugh (*Sans cesser de rire*) Sérieusement, Richard, qu'est-ce que...

Stephen Mais je suis sérieux, espèce de glaviot immonde. Et puis merde, qui vous a autorisé à m'appeler Richard ? Vous rôtissez en enfer sans même vous en apercevoir, hein ?

Hugh Le dernier livre que vous avez écrit...

Stephen Le dernier livre que j'ai écrit ! Vous n'avez pas la moindre idée du dernier livre que j'ai écrit, pas vrai, à part ce que ce crétin d'assistant que vous avez envoyé au charbon a noté sur sa fiche ? Votre tête est bourrée d'une telle bouillie inepte, d'intolérance si crasse et d'ignorance si satisfaite qu'il n'y a plus de place pour une seule idée, hein ?

Hugh Excellent.

Stephen Oh, excellent, dites-vous ? C'est de la « bonne télévision », je suppose. Qui vous montre comme étant à la pointe d'une programmation périlleuse. Vous êtes à peu près aussi périlleux qu'un biscuit fourré au chocolat.

Hugh s'adresse à la caméra.

Stephen Regardez-vous, assis là comme un… comme un gros… un suffisant… un gros… un suffisant… (*Sortant de son personnage et s'adressant à quelqu'un hors champ*) Désolé, mais j'ai oublié ce qui suit, « un gros… un suffisant… »

Hugh (*S'adressant lui aussi à quelqu'un hors champ*) Vince, on sera en direct à l'antenne dans dix minutes, je croyais qu'il savait son texte. Qu'est-ce qui se passe ?

Stephen Pardon, je suis un poil nerveux.

Hugh (*Le coachant*) « Un gros connard suffisant qui vient de remporter un…

Stephen (*En même temps que Hugh le coache*) Ah oui, un gros connard suffisant qui vient de remporter un BAFTA. Avez-vous idée à quel point des individus de votre gabarit sont dégradants et avilissants pour l'esprit humain ?

Hugh Super, puis je te demande où ton bouquin est en vente, combien il coûte, et on te fait sortir.

Stephen Très bien.

Hugh Puis, je bla-bla-blate un poil, et bang bang bang. Qu'est-ce qui vient après ?

VOX POPULI

Hugh Le sexe et la violence, en réalité. Ce genre de chose. On est une petite entreprise, mais très active en ce moment.

Docteur Tabac

Cabinet médical – oui, je sais, mais j'ai bien peur que ça se passe là.
On ausculte Hugh de la poitrine.

Stephen Dites « trente-trois ».

Hugh Trente-trois.

Stephen Bien. Dites « merci ».

Hugh Merci.

Stephen Dites « seins ».

Hugh Seins.

Stephen Mmm. « R ».

Hugh R.

Stephen Bien.

Hugh Bien.

Stephen Bon, si vous voulez bien reboutonner votre chemise, Mr Pepperdyne.

Hugh Tout est en ordre ?

Stephen Rien de très grave, vous serez content de l'apprendre. Vous dites que vous avez de petites difficultés à respirer la nuit ?

Hugh C'est exact.

Stephen Il vous arrive d'expectorer ?

Hugh Euh, pas vraiment.

Stephen Des mucosités jaunes ou vertes… du sang ?

Hugh Non.

Stephen Oppression thoracique ?

Hugh Ben, un peu, je suppose.

Stephen Des migraines ?

Hugh À part celles que me donnent les enfants, vous voulez dire ? Pas vraiment.

Ils rient légèrement tous deux.

Stephen Bien. J'ai envie d'essayer un traitement sur vous : une comme ça, vingt fois par jour. Vous en avez déjà pris ?

Il sort une cigarette toute bête d'un tiroir.

Hugh Hum… qu'est-ce que c'est ?

Stephen Une simple préparation de monoxyde de nicotine arséniée, qu'on prend via les bronches en les enfumant.

Hugh En les enfumant ?

Stephen Oui, il suffit d'allumer le bout et d'inspirer.

Hugh Quoi, comme une cigarette ?

Stephen Alors, vous savez ce que c'est ? Oui, en fait, c'est un peu difficile à admettre, mais c'est un remède à base de plantes.

Hugh Oh, une cigarette à base de plantes.

Stephen C'est exact. Extraite de la feuille d'une plante originaire des Amériques, je crois, qu'on appelle le tabac.

Hugh Mais médicinale.

Stephen Médicinale ? Non.

Hugh Il s'agit de cigarettes ordinaires ?

Stephen Tout à fait.

Hugh Mais c'est terriblement mauvais pour la santé, non ?

Stephen J'ai de la peine à croire que je vous les prescrirais si elles étaient mauvaises pour votre santé.

Hugh Vingt par jour ?

Stephen Oui, et idéalement, il faudrait passer à trente ou quarante.

Hugh Mais ça vous donne le cancer du poumon, une bronchite ou de l'emphysème.

Stephen Où diable êtes-vous allé pêcher cette idée ?

Hugh Tout le monde le sait.

Stephen Vous êtes médecin ?

Hugh Non, mais ça tombe sous le sens, non ?

Stephen Mais, grand Dieu, de quoi parlez-vous ? « Ça tombe sous le sens ? » Vous ne sauriez même pas ce que font les poumons si un médecin ne vous l'avait pas dit. Il a fallu à l'humanité des milliers d'années pour réussir à comprendre à quoi sert le cœur, ce que c'est qu'un vaisseau sanguin, à quoi servent les reins, et vous venez me dire parce que vous avez lu quelques articles de revue filandreux que vous en savez plus sur le corps humain qu'un médecin ?

Hugh Ben, non, mais… ça ne peut pas être naturel, hein ?

Stephen Les feuilles d'une plante parfaitement naturelle.

Hugh Oui, mais de là à l'allumer et inhaler la fumée, je veux dire…

Stephen Plus naturel qu'une omelette norvégienne ou des chaussettes en nylon.

Hugh Oui, mais on n'inhale pas les chaussettes en nylon. Pas moi, en tout cas.

Stephen On les porte à même la peau.

Hugh Mais vous ne pouvez pas recommander sérieusement les cigarettes.

Stephen Et pourquoi bougre, bigre, pas ? Un peu de fumée de cette feuille relaxe les poumons, soulage cette oppression et éclaircit les idées. Parfaitement sain.

Hugh Je suppose que vous allez me dire maintenant que le cholestérol n'a rien de mauvais.

Stephen C'est quoi le cholestérol ?

Hugh C'est... enfin, vous savez bien...

Stephen Oui, je sais parfaitement ce que c'est, mais vous n'en avez entendu parler, je pense, que depuis quelques années à peine. On mourrait sans.

Hugh Oui, mais en avoir en trop, c'est mauvais.

Stephen Bien sûr, que trop, c'est mauvais, c'est ce que « trop » veut dire, espèce de con. Si vous aviez trop d'eau, ça serait mauvais pour vous aussi, pas vrai ? « Trop » désigne précisément une quantité excessive, voilà ce que ça veut dire. Pourriez-vous dire que « trop d'eau est bon pour la santé » ? Je veux dire que si c'est trop, c'est trop. Trop de n'importe quoi, c'est trop. C'est évident. Bon Dieu.

Hugh Mais je pensais que l'opinion médicale professionnelle soutenait que…

Stephen Vous pensiez, vous pensiez. Vous n'avez pas réfléchi, hein ? Les cigarettes sont un moyen de guérison naturel et efficace.

Hugh Si vous n'y voyez pas d'inconvénient, je crois que j'aimerais avoir un deuxième avis.

Stephen C'est votre droit le plus absolu.

Hugh Oui.

Stephen (*Un temps*) Mon deuxième avis, c'est qu'elles sont aussi bon marché, nutritives et classieuses.

Hugh Vraiment ?

Stephen Et si un troisième avis vous intéresse, elles sont apaisantes, inoffensives et sexys.

Hugh Ma foi, je dois dire que ça semble vraiment concluant.

Stephen D'accord, alors. Donc, vingt par jour, en augmentant pendant la semaine.

Hugh Et mon oppression thoracique ?

Stephen Devrait disparaître complètement.

Hugh Extraordinaire. Ben, c'est vous le médecin.

Stephen Quoi ?

Hugh C'est vous le médecin.

Stephen Qu'est-ce qui a pu vous donner cette idée ?

Hugh Ben, je veux dire... vous.

Stephen Grand Dieu, vous me faites pitié, pas vrai ?

Hugh Hum.

Stephen Je suis marchand de tabac. Ça ne saute pas aux yeux ?

Hugh Mais votre...

Stephen Oui, ça ressemble plus à un cabinet médical qu'à un bureau de tabac.

Hugh Pourquoi ?

Stephen Pourquoi ? Parce que vous êtes le genre d'imbécile qui tombe dans ce genre de panneau. C'est pour la même raison que les vendeuses de produits de beauté portent des blouses blanches, parce que des andouilles comme vous croient qu'une appellation suisse et un truc appelé « traitement de l'épiderme » doivent faire plus de bien qu'un pot de *cold cream*, ce à quoi ça se résume en fait. Vous êtes un idiot crédule, Mr Pepperdyne. Un stéthoscope et un comportement plausible ne font pas de moi un médecin. Je suis un arnaqueur et vous, une poire.

Hugh Alors, vous êtes médecin ?

Stephen Ça se pourrait. À votre avis ?

Hugh Tu as vraiment envie de le connaître ?

Stephen Je trouverais ça fascinant.

Hugh Je pense que ton idée de départ était plutôt bonne mais que tu l'as poussée trop loin. Je pense que ce qui avait commencé comme la constatation assez intéressante et amusante de notre perméabilité aux idées reçues est devenu quelque chose de vague, mal conçu et de décousu. Je pense enfin qu'il est grand temps d'y mettre fin.

Stephen Ah bon ? Je pense que tu as complète...

Noir.

Mémoriser son texte

	Hugh et Stephen sont sur le plateau.
Hugh	On aimerait vous interpréter un sketch intitulé très simplement : « Jack Nimnock fait du shopping au cœur de Norwich. »
Stephen	C'est cela même.
	Chacun se rend à une extrémité du plateau, puis marche à la rencontre de l'autre. Ils se reconnaissent en se croisant.
Stephen	Jack ! Jack Nimnock ! Comment vas-tu ?
Hugh	Neville ! Je vais bien, très bien. Et toi ?
Stephen	Oh je peux pas me plaindre. Et toi, que deviens-tu ?
Hugh	Oh couci-couça.
Stephen	Oui. Oui. Mais dis-moi : comment va Mary ?
	Hugh a le regard dans le vide. Stephen lui souffle à voix basse.
Stephen	Nous avons divorcé, Mary et moi.
Hugh	Nous avons divorcé, Mary et moi.

Stephen Divorcé ? Désolé de l'apprendre, Jack. Et c'est arrivé quand ?

Hugh a de nouveau le regard dans le vide.

Stephen Et c'est arrivé quand ?

Hugh Il y a deux jours.

Stephen (*À voix basse*) Ans.

Hugh Pardon ?

Stephen (*À voix basse*) Vous avez divorcé il y a deux ans.

Hugh Il y a deux ans. Pas deux jours, Neville, comme je l'ai suggéré d'abord, mais deux ans.

Stephen Eh bien, en voilà une nouvelle épouvantable, Jack, épouvantable. Et l'idée est venue de qui, si tu ne vois pas d'inconvénient à me répondre ?

Hugh a encore un trou.

Hugh Quoi ?

Stephen Le divorce. L'idée est venue de toi ou de Mary ? (*À voix basse*) De moi.

Hugh De moi.

Stephen De toi ?

Hugh De toi ?

Stephen De moi.

Hugh De moi.

Stephen Donc, l'idée est venue de toi ?

Hugh Donc, l'idée est venue de *toi* ?

Stephen Je vois. Et comment Mary l'a-t-elle pris ?

Hugh a un trou une fois de plus.

Stephen (*D'une voix un peu moins basse*) Pas trop mal au début.

Hugh Pas trop mal au début.

Stephen (*D'une voix un peu moins basse*) Mais je crois qu'elle est assez déprimée en ce moment.

Hugh Mais en ce moment, je crois qu'elle est assez déprimée.

Stephen Et toi ?

Hugh Euh… hum… ne me le dis pas.

Stephen Toi, tu as fait une dépression nerveuse.

Hugh Ah oui, j'ai fait une dépression nerveuse. Je suis tombé en état de choc et quand j'en suis sorti, j'ai découvert que j'avais complètement perdu la voix.

Stephen Mémoire !

Hugh Mémoire, j'avais complètement perdu la mémoire…

Un temps.

Stephen (*Entre ses dents*) Et je ne me rappelle plus rien, à présent…

Hugh (*Entre ses dents*) Je sais, je sais. J'ai marqué un temps. (*À voix haute*)
Et je ne me rappelle plus rien, à présent, de cette période de ma vie.

Stephen C'est épouvantable, alors, tu crois que Mary t'avait trompé ?

Hugh Eh bien…

Stephen (*En chuchotant*) J'ai oublié…

Hugh (*En chuchotant*) Moi aussi.

Stephen Non, *tu as oublié, toi.*

Hugh Oh je vois. J'ai oublié. Elle a dû le faire mais je ne peux simplement pas m'en… hum… persuader ?

Stephen (*D'une voix sifflante*) Non, souvenir !

Hugh Revenir… retenir. Je suis…

Stephen (*En sortant*) Con.

Hugh Je suis con. Je suis con, c'est ça…

Il est embarrassé par la disparition de Stephen.

Hugh ... c'est ça, eh bien alors *ciao*, Neville. Ça m'a fait plaisir de te revoir après toutes ces... euh...

Stephen (*Gueulant très fort, à la cantonade*) Années !!!

Hugh Années ! C'est ça.

Mendiant

Hugh est un mendiant. Barbe fournie, vieil imper – assez misérable. Une petite casquette posée devant lui sur le sol, il joue de l'harmonica. Stephen, habillé comme un ploutocrate, passe près de lui. Il s'arrête de stupéfaction et dévisage Hugh. Ce dernier en reste tout décontenancé.

Stephen Mais que faites-vous là ? Mais que faites-vous là ?

Hugh Que voulez-vous dire ?

Stephen Cette casquette, elle est là pourquoi ?

Hugh Ben, c'est pour le blé.

Stephen Le blé ? Quel blé ? Je veux dire, que *faites-vous* ?

Hugh La manche, ça se voit pas ?

Stephen La manche ? La manche ? Vous faites la manche ? Que voulez-vous dire par vous faites la manche ?

Hugh Je joue de l'harmonica et les gens me filent de la monnaie.

Stephen De l'argent ? Ils vous donnent de l'argent ? Parce que vous jouez de l'harmonica ? Les gens vous donnent de l'argent pour ça ? On vous en donne vraiment ? On vous paie pour ça ?

Hugh Certains. Pas de mal à ça.

Stephen Pas de mal à ça ? Pas de mal à ça, qu'il dit. Les gens sont prêts à vous donner de l'argent parce que vous êtes sur le trottoir à leur souffler des crachats à la figure ? C'est incroyable.

Hugh Écoutez, si vous n'aimez pas ça, vous n'êtes pas obligé d'écouter ni de me donner quoi que ce soit.

Stephen Si je n'aime pas ça ? Comment je pourrais aimer ça ? C'est infect. C'est le son le plus dégoûtant et le plus lamentable que j'aie jamais entendu. Et des gens vous donnent de l'argent pour ça ?

Hugh Ben, c'est par bonté également, non ? Ils sont juste gentils.

Stephen Juste gentils ? Mais à coup sûr, s'ils étaient juste gentils, ils vous mettraient une balle dans la tête, non ? Voilà ce que j'appellerais être gentil. Vous sortir de votre malheur.

Hugh Mais je ne suis pas malheureux. J'aime plutôt bien ma vie. Les gens sont sympas avec moi.

Stephen Pas malheureux ? Pas malheureux ? Comment pouvez-vous ne pas l'être, regardez-vous, vêtu de haillons, sentant mauvais, comment être autre chose que malheureux ?

Hugh Vous êtes très insultant, vous savez.

Stephen Oui, bien sûr, je le sais. Vous croyez que je n'en suis pas conscient ? Bien sûr que je suis insultant. Je suis très insultant, en effet, en particulier pour les individus d'une pauvreté sordide qui jouent mal de l'harmonica en empuantissant l'air.

Hugh On partage la même planète, pourquoi ne pas me laisser tranquille ?

Stephen Partager la même planète ? Que me racontez-vous là, « partager la même planète » ? La planète que j'habite est remplie de restaurants, de voitures rapides, de finances au plus haut niveau, de vacances à La Barbade, et de bons vins. La vôtre est remplie de bouteilles d'alcool à brûler, de hurlements d'harmonica, de puanteur et de foyers de SDF crados. Ce n'est pas du tout la même planète. Comment osez-vous suggérer que c'est la même planète ?

Hugh Vous avez beau penser que ce n'est pas la même planète, c'est pourtant la même. On ne peut pas avoir l'une sans l'autre.

Stephen Que me chantez-vous là qu'on ne peut pas avoir l'une sans l'autre ? De quoi parlez-vous ? Vous êtes en train de me dire que je dépends de vous ?

Hugh Bien sûr que oui. Toute votre richesse repose entièrement sur la charogne pourrissante de ma pauvreté – et un beau jour, elle cèdera et vous, vous tomberez de haut en même temps qu'elle.

Stephen La charogne pourrissante ? Vous êtes devenu fou ? C'est un discours communiste ? Vous êtes communiste ? Vous voulez que j'appelle la police ?

Hugh Ce n'est pas un délit d'être communiste. De toute façon, je ne le suis pas.

Stephen Pas un délit ? Pas un délit ? Vous délirez complètement, pas un délit. De nos jours, bien sûr que c'est un délit. Les communistes sont les ennemis de la démocratie, ce sont des délinquants.

Hugh Ben, qu'est-ce qu'elle a de si bien, la démocratie ?

Stephen Qu'est-ce qu'elle a de si bien, la démocratie ? Qu'est-ce qu'elle a de si bien, la démocratie, il demande ? C'est la liberté de parole, de pensée et d'opinion, voilà ce qu'elle a de si bien, espèce de tas empuanti d'immondices. Maintenant, dégagez avant que je vous fiche le feu. Trouvez-vous un boulot, lavez-vous. C'est dégradant qu'une ordure ambulante de votre acabit joue de l'harmonica à autrui.

Stephen se détourne et s'éloigne.

Hugh (*Derrière lui, retirant sa barbe*) Attendez !

Stephen Attendre ? Attendre pourquoi ?

Hugh (*Pointant du doigt l'objectif de la caméra*) Vous voyez ça ?

Stephen Quoi ? Voir quoi ? Qu'est-ce que vous avez fait de votre barbe, qu'est-ce qui vous prend ? Vous avez perdu la boule ? Voir quoi ?

Hugh (*En éclatant de rire*) Vous ne me reconnaissez pas, hein ?

Stephen Vous reconnaître ? Non, je ne vous reconnais pas, pourquoi devrais-je ?

Hugh Vous ne regardez jamais l'émission de télé : « Dans la rue avec Bibby » ?

Stephen « Dans la rue avec Bibby » ? Oh, celle en caméra cachée, vous voulez dire ? (*Terrifié, tout à coup*) Mon Dieu, vous n'êtes pas Bob Bibby, au moins ?

Hugh (*Se laissant retomber par terre*) Non, mais j'aurais pu !

Petit entretien

Hugh Père ?

Stephen Oui.

Hugh J'ai réfléchi.

Stephen Ah oui.

Hugh Tu sais, à propos de ce que tu m'as dit, comme quoi Mère était partie vivre avec Jésus ?

Stephen Oui.

Hugh Eh bien, je ne pense pas que ça soit vrai.

Stephen Ah bon ?

Hugh Oui. Parce que j'ai vu Mère hier soir.

Stephen Tu as quoi ?

Hugh Oui. Au supermarché. Et l'homme qui était avec elle n'avait absolument rien de Jésus.

Stephen (*Posant son journal*) Écoute, Jeremy, je crois qu'il est grand temps que nous ayons un petit entretien, toi et moi.

Hugh Parce qu'on n'en a pas un en ce moment ?

Stephen Ma foi, si, tel est bien le cas. Tu as tout à fait raison. Bon. Quel âge as-tu maintenant, Jeremy ?

Hugh Trente-et-un ans.

Stephen Trente-et-un, hein ? Et quand je t'ai dit que Maman était partie vivre avec Jésus, quel âge avais-tu alors, hein ?

Hugh Vingt-sept.

Stephen Oui, eh bien, ma parole, nous y voilà, tu vois. Vingt-sept ans. Le temps passe si vite, n'est-ce pas ? Bon Dieu, dis-moi oui. Et te voilà. Bon, alors. Quand je t'ai raconté ce que je t'ai raconté, c'était un petit peu un bobard.

Hugh Oh.

Stephen Oui.

Hugh Tu m'as raconté un bobard.

Stephen Mais c'était pour t'épargner d'être blessé, mon fils. Tu vois, Maman n'est pas du tout partie avec Jésus.

Hugh Comme je l'avais justement deviné.

Stephen Comme tu l'avais justement deviné. Ce qui s'est vraiment passé, c'est que Maman est morte.

Hugh Morte ?

Stephen Oui. Elle est morte.

Hugh Mais je l'ai vue au supermarché.

Stephen Non, tu as vu quelqu'un qui lui ressemblait un tantinet.

Hugh Oh.

Stephen Il fallait que tu le saches tôt ou tard.

Hugh Comment est-elle… comment Maman est morte alors ?

Stephen C'est une triste histoire, mais tu dois le savoir.

Hugh Oui ?

Stephen Je l'ai tuée.

Hugh Tu l'as tuée ?

Stephen Oui.

Hugh Pourquoi ?

Stephen Pourquoi ? Parce qu'elle baisait tout ce qui portait un pantalon.

Hugh Oh.

Stephen (*Retournant à son journal*) Tu vois ?

Hugh Oui, Papa.

Renseignements

Stephen est assis derrière un bureau, où on lit « Renseignements ». Hugh entre.

Hugh Bonjour.

Stephen Bonjour.

Hugh Bonjour.

Stephen Bon. Puis-je vous aider ?

Hugh Oui. Lâche-moi la grappe.

Stephen Non, j'ai dit : puis-je vous aider ?

Hugh Oh. J'aimerais un renseignement, s'il vous plaît.

Stephen Oui.

Hugh Eh bien ?

Stephen Eh bien quoi ?

Hugh J'aimerais un renseignement, s'il vous plaît.

Stephen Oui. Quel renseignement aimeriez-vous ?

Hugh Ben, j'en sais rien. Qu'est-ce que vous avez en magasin ?

Stephen Pardon ?

Hugh Quels renseignements avez-vous ?

Stephen Eh bien, toutes sortes de renseignements.

Hugh Par exemple ?

Stephen Par exemple... le poids moyen d'un lapin.

Hugh Tiens, j'ignorais ça.

Stephen Quoi ?

Hugh J'ignorais jusqu'à aujourd'hui que les lapins avaient un poids moyen.

Stephen Oh que si.

Hugh Avez-vous d'autres renseignements ?

Stephen Bien sûr. Mais vous devez me poser des questions, voyez-vous.

Hugh Et vous me donnerez les réponses...?

Stephen C'est exact.

Hugh ... si je pose les questions. Bien. Comment s'appelait...?

Stephen Oui ?

Hugh Comment s'appelait mon prof de géographie ?

Stephen Je crains que ça ne soit pas là le genre de chose...

Hugh Ah ha.

Stephen Tcchh. D'accord. Il s'appelait Colin Gout.

Hugh C'est juste.

Stephen Et vous le surnommiez Goutte au Nez.

Hugh Goutte au Nez. Ça alors, ça date pas d'hier. Bon, il y avait aussi un mec dans notre classe... tchh... c'était quoi son nom, déjà...

Stephen Adams, Attersham, Bennet, Connor, Fredericks, Hodson...

Hugh Hodson ! C'est ça, c'est ça. Ned Hodson. Mince, il rendait chèvre ce pauvre vieux Goutte au Nez. Vous savez ce qu'il faisait ?

Stephen Oui.

Hugh Oh, ça alors. Je me demande ce qu'il est devenu.

Stephen Il a épousé une fille appelée Susan Banal. Et ils habitent en ce moment à Fenton, près de Worcester.

Hugh Je pense pas l'avoir rencontrée, elle.

Stephen Mais si. Le 4 juillet 1972, vous étiez assis côte à côte dans le bus 29 et elle vous parlait des Who. Vous avez été amoureux d'elle jusqu'au mercredi suivant.

Hugh Hmm. Vous possédez un sacré paquet de renseignements, alors ?

Stephen Nous essayons de rendre service. Autre chose ?

Hugh Oui, s'il vous plaît. Pouvez-vous me dire…

Stephen Oui ?

Hugh Pouvez-vous me dire comment être heureux ?

Stephen Comment être heureux ?

Hugh Comment être heureux.

Stephen Je crains de devoir vous répondre que ce renseignement est confidentiel.

Hugh Oh. Mais vous l'avez en votre possession, cependant ?

Stephen Ah oui.

Hugh Mais il est confidentiel ?

Stephen J'en ai bien peur. Désolé.

Hugh Et content ?

Stephen Oui, merci.

STEPHEN FRY et HUGH LAURIE
à Cambridge

Stephen Fry

Hugh Laurie

« [Cette brochure] contient la liste des services de Collingwood Hospital, y compris la gamme complète des opérations qu'on y pratique. [...] Cet éventail de choix met vraiment l'eau à la bouche. »

« Garde à l'esprit qu'il y a plein d'autres religions, tu sais, dont certaines, je me permets de le dire, offrent plus de possibilités et de valeurs. »

« Qu'est-ce que vous racontez ? Ma tante n'est pas morte. »

« Je trouve que vous êtes vraiment l'individu le plus répugnant et aux idées les plus flatulentes que j'aie jamais rencontré. »

« Vous devriez être loin d'ici, [...] à tuer des gens, [...] et à manger des hamburgers à dos de chameau. Et à vous faire donner le sein par une vierge népalaise. »

« Oui, je suis frustré. Mon boulot est solitaire. Tellement solitaire. Les doutes m'assaillent, la peur me tenaille. »

« Je ne crois pas que même nous deux, on puisse supporter un tel niveau de travail à haute tension sans descendre faire un break. »

« Pardonnez-moi si je parais insister lourdement, mais ne serait-il pas plus simple d'utiliser une arme comme arme, et un grille-pain comme grille-pain ? »

« Nous prendrons pour slogan : "Ce Bon Vieux Fascisme des Familles. Aussi Vrai Hier qu'Aujourd'hui." »

THE YOUNG VISITERS

« Vous pensiez que les laitues poussaient dans des sachets stériles en plastique, sur les rayons des supermarchés. Il ne vous était jamais venu à l'esprit qu'une laitue pouvait avoir des sentiments, des espoirs, des rêves, une famille… »

Les légendes des phototographies sont toutes extraites des sketches de ce livre sans pour autant que l'extrait provienne nécessairement de la scène représentée par la photographie.

Hugh Non, vous avez un renseignement sur comment être content ?

Stephen Ah je vois. Oui, nous avons un renseignement à ce sujet.

Hugh Je peux l'avoir ?

Stephen Je crains que ce ne soit un secret.

Hugh Oh, allez-y.

Stephen Très bien. Le secret du contentement, c'est...

Hugh Oui ?

Stephen De ne pas poser de questions.

Critiques 2

On retrouve Stephen et Hugh sur leurs fauteuils pivotants, toujours aussi imbuvables.

Stephen Ma foi, bien entendu, ce que j'ai jugé particulièrement décevant, c'est leur choix de...

Hugh Ça fonctionnait pour vous ?

Stephen Quoi ?

Hugh Leur choix de...

Stephen Non, pas du tout. J'ai senti que c'était un choix erroné, un choix malheureux, un choix mal choisi.

Hugh Ils auraient pu mieux choisir ?

Stephen Je le crois. Et bien entendu, s'ils avaient mieux choisi...

Hugh Ce qu'ils n'ont pas fait.

Stephen Ma foi, non, bien entendu. Mais s'ils l'avaient fait, leurs limites auraient...

Hugh J'allais vous poser la question.

Stephen Mais vous ne l'avez pas fait.

Hugh J'allais le faire.

Stephen Eh bien alors, oui. Tellement été limitées, voyez-vous. Et c'était destiné à les limiter.

Hugh Donc ils étaient limités par leurs propres limites.

Stephen Joliment dit.

Hugh Merci. Ce qui me conduit à une autre question. Puis-je ?

Stephen Bien entendu.

Hugh Merci. Je me demande, y a-t-il un sens dans lequel vous n'êtes pas totalement imbuvable ?

Stephen Absolument aucun. J'ai eu beau en chercher un en me donnant du mal, je n'ai abouti au final qu'à me sentir insensé.

Hugh Je me demande si cela se combine avec...

Stephen Tout à fait ce que je pense. Pourrait-on dire, de n'importe quel point de vue critique où l'on se place, que vous n'êtes en aucun cas de figure éloigné d'être en tous points répugnant ?

Hugh Ah. Voilà qui est intéressant.

Stephen Oh là là. C'était sans intention de l'être.

Hugh Oubliez. Il y aura d'autres occasions, je n'en doute pas.

En avant toute vers le passé

Stephen ouvre la porte à Hugh, affublé d'une tenue futuriste invraisemblable.

Stephen Oui ?

Hugh Bonjour, je viens du futur.

Stephen (*Agacé*) Quoi ?

Hugh Je viens du futur.

Stephen Ah bon ? Ah bon ? Vraiment ?

Hugh Oui, c'est en grande partie exact. Je viens d'un temps en avance sur le vôtre.

Stephen C'est vrai ?

Hugh Oui, c'est vrai.

Stephen Et de quel siècle au juste venez-vous, je me demande ?

Hugh Je viens du vingtième siècle.

Stephen Donc pas si en avance que ça, de façon significative ?

Hugh Ma foi, non. Je viens d'à peine cinq minutes de maintenant.

Stephen Cinq minutes.

Hugh Oui. De cinq de vos minutes primitives. Au revoir.

Stephen Quoi. Vous partez déjà ?

Hugh Oui.

Stephen Aucun message du futur ?

Hugh Il y a des lois, des lois temporelles avec lesquelles on n'ose pas interférer, de peur de falsifier sa propre destinée. Adieu. Je me permets de vous dire que je suis désolé de ne pas pouvoir vous le rendre. Je vous prie d'accepter mes excuses.

Stephen Me rendre quoi ?

Hugh Ce que vous m'avez prêté. Ça s'est désintégré pendant le saut temporel. Enfin, comme vous l'avez dit à juste titre, ça vient seulement de chez Habitat.

Hugh sort.

Stephen (*Encore planté sur le seuil*) Ben, franchement.

Hugh entre, casquette à la Sherlock Holmes et pèlerine, l'apparence d'un victorien dernière période.

Hugh Bonjour. Si c'est le jour.

Stephen Encore vous.

Hugh Je ne crois pas que nous nous connaissons.

Stephen Quoi ?

Hugh C'est la première fois que je viens dans ce quartier.

Stephen Oh ne soyez pas ridicule, je vous ai parlé il n'y a pas cinq... (*Sa voix se perd*) ... minutes.

Hugh Quelque chose ne va pas ?

Stephen Non, non. Rien qu'un rêve éveillé, sans doute. Que puis-je faire pour vous ?

Hugh Eh bien, il faut dire que je suis un peu perdu. Je sais qu'à entendre, on peut prendre ça pour les divagations d'un parfait imbécile, mais vous devez me croire. Je voyage à travers le temps.

Stephen Oui, oui. Vous venez du futur.

Hugh (*Perplexe*) Non, du passé. Il y a cinq minutes, je me suis projeté cinq minutes dans le futur, dans votre temps, et je me demandais qui est le Premier Ministre à l'heure actuelle ?

Stephen Margaret Thatcher. Écoutez...

Hugh Ah, vraiment ? Encore ? Il y a des choses qui ne changent jamais. Et est-ce que quelqu'un a inventé un moyen d'ouvrir un paquet de biscuits *Hob Nob* sans se casser un ongle ?

Stephen Non, écoutez, à quoi exactement vous…

Hugh Noel Edmonds présente toujours *Top of the Pops* ?

Stephen (*Surpris*) Pas que je sache. Écoutez, c'est une farce ou quoi ?

Hugh Bien, faut que j'y aille avant que je me rattrape. La prochaine fois, je pense que j'essaierai d'aller un poil plus avant. Adieu.

Hugh sort.

Stephen Bye, alors. Ça commence à devenir difficile de suivre le mouvement.

Hugh entre, vêtu le plus normalement du monde.

Hugh Salut.

Stephen Vous venez d'où ?

Hugh Ça va vous paraître tout à fait incroyable, mais je viens de…

Stephen D'une maison de fous.

Hugh Pardon ?

Stephen Oubliez. De quelle époque venez-vous, alors ?

Hugh De North Finchley, à Londres.

Stephen Quoi ?

Hugh De North Finchley, de Barnet, si vous préférez.

Stephen Quand ?

Hugh Pardon ?

Stephen De quand êtes-vous ?

Hugh Vous allez bien ?

Stephen Je... je crois, oui.

Hugh Je fais une collecte.

Stephen Dans quel but ?

Hugh Ce gouvernement réactionnaire, borné et rigide, n'a aucune vision d'avenir. Je projette de construire une machine. Une machine qui permettra à l'homme de voyager...

Stephen Dans le temps, oui, oui, très intelligent.

Hugh Non. De voyager jusqu'au centre de Londres sans être coincé dans les embouteillages. Le principe est très simple: grâce à l'utilisation de ruthénium et de polonium, comme agents générateurs, j'ai l'intention de construire un prototype qui sautera par-dessus les bouchons, comme s'ils n'existaient pas. Il suffira d'entrer les coordonnées de la rue où on désire se rendre, et miracle ! Puis-je obtenir une subvention de ces crétins du gouvernement ? Non, m'sieur.

Stephen Vous ne pensez pas que cela pourrait avoir des effets secondaires malencontreux ?

Hugh Que voulez-vous dire ?

Stephen Par exemple, des voyages dans le temps.

Hugh (*Éclatant de rire*) Oh, pas de danger, vous regardez trop la télévision.

Stephen, dérouté, fixe la caméra une nanoseconde.

Stephen (*Las*) D'accord, combien voulez-vous, alors ?

Hugh Oh, il ne s'agit pas d'argent. C'est juste le transducteur qui a besoin d'un abat-jour.

Stephen Quoi ?

Hugh Je savais que vous alliez me juger givré, mais c'est vrai. Un simple abat-jour ordinaire ou de jardin, afin que la plaque de gallium puisse atteindre le pôle positif en une picoseconde, puis revenir instantanément au pôle négatif qui...

Stephen Oui, oui, d'accord. Je vais vous chercher un abat-jour. (*Il rentre dans l'appartement*)

Hugh (*Le hélant*) Merci ! Merci beaucoup ! Vous êtes un ami de la science.

Stephen (*Revenant avec un abat-jour*) Voilà.

Hugh Merveilleux. Merci mille fois. J'ai garé ma machine au coin de la rue. Ça ne prendra que cinq minutes pour l'équiper – et les embouteillages londoniens seront réglés d'un coup, d'un seul.

Stephen Oui.

Hugh Je vous le rendrai, votre abat-jour.

Stephen Pas de souci, il vient juste de chez Habitat... (*Sa voix s'estompe*)

Hugh sort.

Stephen reste muet un instant, puis fixe l'objectif de la caméra.

Stephen Je suis certain qu'un truc bizarre devrait logiquement se passer maintenant, mais je n'arrive pas à savoir quoi exactement.

Personnes âgées

Stephen est à la réception d'une maison de retraite. Hugh entre.

Hugh Bonjour.

Stephen Vous n'êtes pas très âgé.

Hugh Pardon ?

Stephen Vous n'êtes pas très âgé, j'ai dit.

Hugh Non, je...

Stephen Ici, c'est un foyer pour personnes âgées, voyez vous, par conséquent nous demandons à ceux et celles désirant y séjourner qu'ils ou elles soient à tout le moins âgés. Ça figure dans notre charte.

Hugh Mais je n'ai aucune envie de séjourner ici.

Stephen Oh. Alors je dois vous demander instamment de me pardonner. Nous n'étions pas sur la même longueur d'ondes, je suppose ?

Hugh Oui, c'est possible.

Stephen Oups. Faute épouvantable de ma part. On ferait mieux de tout reprendre depuis le début, alors.

Hugh Bon.

Stephen Bon.

Hugh Je me demandais si…

Stephen Vous n'êtes pas très âgé.

Hugh Quoi ?

Stephen C'est un foyer pour personnes âgées, voyez-vous, par conséquent…

Hugh Non, je n'ai pas envie de séjourner ici. Je suis venu voir ma tante.

Stephen Oh. Non. Oh non. Quel dommage. Elle est morte.

Hugh Qui est morte ?

Stephen Votre tante. Si seulement vous étiez venu quelques heures plus tôt…

Hugh Attendez un instant. Vous ne savez pas encore qui je suis.

Stephen Inutile. Nous n'avions qu'une tante, voyez-vous, et elle s'est éteinte hier soir. Oh, elle va bien nous manquer. Sa gaieté, son sens de la fête…

Hugh Stop. Ça vous dérangerait de vérifier son nom d'abord, pour qu'on soit bien sûrs de parler de la même personne ?

Stephen S'il y a la moindre chance que ça puisse vous aider à affronter certaines des questions douloureusement demeurées sans réponse qui doivent peser sur vous en cette passe fort difficile, alors très volontiers.

Hugh Merci.

Stephen Je vous en prie, ne me remerciez pas, le neveu.

Hugh Qu'est-ce...?

Stephen Je fais ce boulot parce que je l'adore. Combien de gens peuvent en dire autant ? Moins d'une dizaine, au max. Oui, voilà. Chambre 14, tante, morte à dix heures du soir, hier.

Hugh Bien, quel était son nom ?

Stephen Quatorze.

Hugh Non, son nom.

Stephen Bon, eh bien, je ne crois pas qu'on ait une trace écrite de son nom. Il n'y a pas trop de place sur ces fiches, vous voyez ? Je n'arrête pas de le dire à l'administration – ai-je dit « dire » ? De supplier à deux genoux, plutôt – « donnez-moi de plus grandes fiches », mais...

Hugh C'était quoi son nom ?

Stephen Eh bien, avant que vous ne fonciez tête baissée dans ce boulevard arboré qui s'ouvre devant vous, permettez-moi de vous préciser qu'on est très portés ici sur les surnoms.

Hugh Des surnoms ?

Stephen Oui, en effet. Moi et le reste du personnel, on se souviendra toujours de votre tante comme de la « quatorze ». Je sais qu'à entendre, ça paraît un peu cavalier. Mais c'est notre style, ici. On laisse les formalités totalement à la porte, avec un mot sympa pour le laitier sur le paillasson. Dès le jour de son arrivée, la « quatorze » nous a semblé lui convenir à merveille.

Hugh Vous êtes en train de me dire qu'une femme est morte hier au soir et que vous ne connaissez même pas son nom ?

Stephen Je sais qu'il est parfois difficile pour quelqu'un de l'extérieur de pénétrer dans un foyer comme celui-ci, car il s'agit bien d'un foyer – l'ai-je précisé ? Ai-je été clair là-dessus ? – et de comprendre aussitôt ce que nous essayons vraiment de faire ici.

Hugh Ma tante s'appelle Amanda Bisecuisse.

Stephen Eh bien, voilà, vous voyez. Amanda Bisecuisse. Comment aurait-on pu l'appeler ainsi ? C'est si froid, si inamical. Et puis regardez comme les fiches sont petites. J'aurais de la chance si je faisais entrer « A. Bise » sur l'une d'elles.

Deborah, grimée en une très vieille dame, apparaît près de Stephen.

Deborah S'il vous plaît...

Stephen Woups ! Ah ah ah...

Stephen essaie de faire baisser la tête à Deborah.

Deborah Rien qu'un morceau de pain, un biscuit, n'importe quoi.

Hugh Tante Amanda ?

Deborah (*Réapparaissant*) Neville ? Oh merci, mon Dieu !

Hugh Tu vas bien ?

Stephen (*Se mettant devant elle*) Oh là là. Oh là là, oh là là.

Hugh Que se passe-t-il ?

Deborah Je meurs de faim. Tu m'as apporté à manger ?

Stephen Oh là là, oh là là, oh là là. Je ne me le pardonnerai jamais. On aurait dû vous épargner ça. Je donnerais n'importe quoi pour qu'on vous ait épargné ça.

Hugh Vous m'aviez dit qu'elle était morte.

Deborah Qui était morte ?

Stephen Comme si le choc de la nouvelle ne suffisait pas, vous devez maintenant voir ça. Je suis navré. Tellement navré.

Hugh De quoi parlez-vous ?

Stephen Je suis navré que vous deviez être confronté de la sorte avec le corps. Tout ça est fort pénible.

Hugh Quel corps ?

Stephen N'empêche, spirituellement parlant, elle est mieux là où elle est maintenant. Soyons-en reconnaissants.

Hugh Mais elle est là.

Stephen Bien entendu, oui, son corps est là, mais son âme... qui sait quel magnifique voyage...?

Deborah Je t'en prie, Neville, tu as quelque chose à manger ?

Hugh À manger ? Non. Tu as faim ?

Deborah Je n'ai rien mangé depuis hier à déjeuner.

Hugh Hier à déjeuner ? Qu'est-ce à dire, vous ne nourrissez pas du tout les gens ici ?

Stephen Mais bien sûrement entendu.

Hugh Ça veut dire oui ?

Stephen En effet, oui. Nos pensionnaires ont eu plus de repas chauds que vous n'avez eu… que vous n'en avez eus.

Hugh Alors pourquoi, n'a-t-on pas donné à manger à ma tante depuis hier ?

Stephen Ah. La mort vous est étrangère, je le vois. Permettez-moi de vous dire, le plus simplement du monde, que nourrir les morts est une pratique fort inhabituelle.

Hugh Quoi ?

Stephen À moins, bien sûr, que ça ne soit spécifié dans leur testament. Dans le cas contraire, on a tendance à considérer ça comme une extravagance sans aucune nécessité. Cependant, si tel est votre souhait…

Hugh Qu'est-ce que vous racontez ? Ma tante n'est pas morte.

Stephen Faites-vous partie du corps médical ?

Hugh Non.

Stephen Ah.

Hugh Écoutez, elle est présente, elle parle, elle respire...

Deborah (*Faiblement*) Aaggh...

Hugh ... juste... et vous me dites qu'elle est morte.

Stephen J'admets volontiers que l'effet de choc, ajouté à la luminosité accueillante de notre cadre de vie, vous rend difficile de saisir...

Hugh Elle n'est pas morte. (*À Deborah*) Tu es morte ?

Deborah Non.

Hugh Là.

Stephen Oh je sais combien vous avez envie de le croire. Comment supporteriez-vous ce deuil, sinon ? Mais vous voyez, j'ai moi aussi vécu un deuil. Quand cette chère vieille quatorze nous a quittés, une petite partie de moi est morte avec elle.

Hugh Ah bon ?

Stephen Oui, et cet après-midi même, j'enterrerai cette petite partie dans le jardin après une cérémonie simple mais émouvante. Aimeriez-vous y assister ?

Hugh Écoutez. Pourquoi vous obstiner à me dire qu'elle est morte ? Racontez-moi seulement...

Stephen Eh bien, si ça ne vous est pas trop douloureux...

Hugh Non, allez-y. Je suis désireux de savoir.

Stephen Brave, courageux neveu. Voici ce qui s'est passé. J'ai envoyé un ultime rappel, trente jours après l'échéance du dernier règlement, et croyez-moi, même à ce stade, j'espérais encore que tout pourrait bien se...

Hugh Attendez un instant. Quel règlement ?

Stephen Eh bien, du gîte et du couvert. Le règlement est mensuel. La plupart de nos pensionnaires favorisent des dispositions selon lesquelles...

Hugh Vous voulez dire qu'elle n'a pas payé sa facture ?

Stephen Hélas, non.

Hugh Combien ?

Stephen Je vous demande fort pardon ?

Hugh Combien doit-elle ?

Stephen La somme extrêmement tragique de cent quatre vingt dix livres et sept pence.

Hugh (*Sortant son chéquier*) Eh bien, pour l'amour de Dieu, (*Rédigeant le chèque*) cent... quatre vingt dix livres et sept... pence. Voilà.

Stephen (*Le prenant sans le regarder – les yeux fixés sur Deborah, qui commence à grignoter le buvard du sous-main*) La Quatorze ! Est-ce vrai ? Puis-je en croire mes yeux ? Je suis certain d'avoir vu... (*À Hugh, avec vivacité*) Auriez-vous l'obligeance d'ajouter votre numéro de carte de crédit au dos ?

Hugh s'exécute et lui rend le chèque.

Stephen Oui ! Elle se meut, elle bouge, le souffle de la vie paraît la maintenir à flot. C'est un miracle ! Un miracle !

Un concierge entre en poussant sur un chariot une personne visiblement décédée.

Stephen Numéro douze ! Voyez donc ! La numéro quatorze est revenue à la vie ! Oh merveille des merveilles !

Hugh Non mais, arrêtez, cette femme-là est vraiment morte.

Stephen Détrompez-vous, monsieur. Elle bénéficie d'un virement automatique.

Baptême

Maman (Deborah) et Papa (Hugh) se tiennent avec Bébé devant les fonts baptismaux. Stephen est le pasteur. Hugh est le portrait-robot du cadre dynamique.

Stephen Je te baptise Rupert Jeremy James…

Hugh Non, attendez un instant.

Stephen Qu'y a t-il ?

Hugh Tu as raison ma chérie, Nicolas, c'est mieux. Nicolas Thomas Geoffrey.

Stephen Nicolas Thomas Geoffrey.

Deborah On ne peut pas faire suivre Nicolas et Thomas, c'est très vilain comme rime.

Hugh Tu as raison. C'était quoi l'autre qu'on aimait bien ?

Deborah Timothy Nicolas Peter.

Hugh Non, Nicolas *Timothy* Peter.

Stephen (*Trempant un doigt dans l'eau bénite*) Va pour Nicolas Timothy Peter ?

Deborah Oui.

Hugh N'empêche que c'est dommage d'écarter Jeremy, non ?

Deborah J'aimais bien Duncan aussi.

Hugh Duncan Jeremy Nicolas ou Nicolas Jeremy Duncan ?

Stephen Écoutez, j'ai un mariage dans dix minutes.

Hugh On vous paie pour ça, non ?

Stephen (*Dérouté*) Non...

Hugh L'idée de Nick, c'était Pèlerin.

Deborah Mais enfin mon chéri, on ne peut pas appeler un bébé Pèlerin.

Stephen Alors, Pèlerin Jeremy Duncan...

Deborah Je sais que ça va paraître idiot, mais j'ai toujours adoré Dick.

Stephen Heuhum...

Hugh Et Dirk reviendra à la mode.

Deborah Duncan Dirk Dick.

Hugh Plutôt charmant.

Stephen Duncan Dirk Dick, je te baptise au nom du Père, du Fils et du Saint-Esprit, amen. Nous recevons cet enfant au sein du troupeau des fidèles ouailles du Christ en le marquant au front du signe de la croix (*Il fait le signe de croix sur le front du bébé*) en gage que désormais, il n'aura jamais honte de confesser sa foi dans le Christ crucifié et combattra virilement sous sa bannière contre le mal, le monde et le diable, en demeurant son fidèle soldat et serviteur jusqu'au terme de son existence terrestre. Amen.

Hugh Non, ça ne va toujours pas... je ne sais pas... attends, que dirais-tu de Bibou ?

Deborah Oh mon chéri...

Hugh Ben, en tout cas, c'est le surnom qu'on lui donne déjà à notre petit gars, alors pourquoi pas ?

Deborah Bibou Timothy James, j'aime bien.

Hugh Ouais, Bibou Timothy James.

Stephen Désolé, ce sera Duncan Dirk Dick, car la chose est faite.

Hugh Eh bien, annulez-la.

Stephen Que je l'annule ?

Hugh Oui.

Stephen Mais il s'agit d'un saint sacrement de l'Église, pas de la réservation d'une chambre d'hôtel, on ne peut pas du tout l'annuler.

Hugh Tu commences à me courir, mon pote. Tu vois cette carte ? (*Il lui brandit un bristol blanc sous le nez*) Qu'est-ce qu'on y lit ?

Stephen « Service de Baptême. »

Hugh Oui. Service, je souligne – pas sévices. Y a pas écrit dessus « Sévices de Baptême. »

Stephen Mais je n'ai pas exercé de sévices.

Hugh Garde à l'esprit qu'il y a plein d'autres religions, tu sais, dont certaines, je me permets de le dire, offrent plus de possibilités et de valeurs.

Deborah Sans parler des tapis. Regardez-moi celui-ci.

Hugh Bon, allez. Passe-le-moi.

Stephen Quoi ?

Hugh Passe-le-moi. On va aller faire un tour à la Mosquée d'Arlington Road, si tu n'y vois pas d'inconvénient.

Stephen Mais je n'ai pas fini le service !

Hugh Le sévice, tu veux dire ? Ben, tu aurais dû y réfléchir avant.

Stephen Écoutez, vous ne pouvez pas vous retirer à mi-parcours. Songez à l'enfant !

Hugh Au cul, l'enfant. T'as pas écouté les infos ?

Stephen Ma foi, j'ai entendu certaines informations, mais je doute que ce soient les mêmes auxquelles vous faites...

Hugh Une révolution est en marche. Basée sur l'entreprise, l'esprit d'initiative. Ceux qui ne savent pas dégraisser vont droit dans le mur.

Stephen Quel mur ?

Hugh Quel mu...? Tu ne sais juste pas de quoi je cause ? Je te parle de la façon dont tu gères cette petite boîte pathétique. Regarde-moi ce bâtiment. Tous ces fonds immobilisés pour quoi ? Deux mariages par semaine. Lamentable. Bon Dieu, que j'aimerais mettre la main sur cet endroit. Je pourrais en faire vraiment quelque chose. Une galerie marchande, quatre apparts de luxe, une brasserie au rez-de-chaussée. C'est du gaspillage, c'est criminel.

Stephen (*S'énervant, il pose le bébé sur les fonts baptismaux, pour avoir les mains libres*) Ici, tu vois, mon pote, c'est une église, pas une salle des marchés. Tes théories répugnantes sur l'entreprise et l'esprit d'initiative ne m'intéressent pas. Ce lieu a pour fondations des idées un poil plus permanentes que le Dow Jones.

Hugh Ah ouais ?

Stephen Ouais. Quelque chose un tantinet plus classe qu' « acheter à long terme, vendre à découvert et faire des placements de père de famille. »

Hugh Euhum ?

Stephen L'Église sera encore ici longtemps après que ton petit morveux aura grandi, plumé deux trois pigeons et sera mort haï de tous pendant sa retraite dans sa villa espagnole.

Hugh Portugaise, en réalité. Inutile de se montrer d'une brutalité aussi infecte.

Stephen Je te demande bien pardon, mais les gens de ton espèce me gonflent vraiment !

Hugh T'en as une grande gueule, toi. Alors, c'est quoi ton pitch, ton projet, ta motive, ton arnaque ?

Stephen Ben, regarde-toi. Tu te bats, tu négocies, tu truandes toute ta vie afin d'avoir assez de blé pour passer une poignée d'années à trimballer ta vieille graisse bringuebalante sur une plage ou un parcours de golf, mais quelle assurance as-tu prise pour ta post retraite ?

Hugh Ma post retraite ?

Stephen Je te parle du paradis.

Hugh Du paradis ? Ce n'est pas là que sont allés les Gilroy, ma chérie ?

Deborah Non, à Salisbury.

Hugh Ah ouais.

Stephen Après une vie de dur labeur, ne crois-tu pas que tu devrais t'offrir une petite garantie à long terme ? Je parle sur le plan mode de vie, statut, confort et tranquillité d'esprit.

Deborah (*Donnant un coup de coude à Hugh*) : Ne lui fais pas confiance, poussin.

Hugh Lâche-moi, lâche-moi.

Stephen Elle a raison, penses-y, poussin. Penses-y. Parles-en à ton conseiller spirituel perso.

Hugh Hmm. Il tient peut-être quelque chose, là.

Stephen Et si tu ne veux pas t'offrir ça, aie une petite pensée pour Duncan Dirk Dick. Donne-lui une chance d'entrer par la grande porte.

Hugh Ma chérie, et sans vouloir vous manquer de respect, monsieur le pasteur, je viens de penser à quelque chose. Que diriez-vous d'un portefeuille mixte, grâce auquel on ventilerait bébé dans le Judaïsme, l'Islam, l'Hindouisme et cætera, tout en lui préservant une base solide au sein de l'Église d'Angleterre ?

Deborah Ça paraît plus sûr, c'est certain.

Hugh Exactement.

Stephen D'accord. Donc, Duncan Dirk Dick, je te baptise...

Deborah Mais, dans ce cas, il vaudrait mieux quelque chose du genre Duncan Isaac Sanji.

Hugh Duncan Abraham Sanji, ça serait sympa.

Deborah Et pourquoi pas Duncan Abraham Naresh ?

Stephen Bon. Débrouillez-vous tout seuls. L'eau bénite est ici, le livre de cantiques, là. Moi, je me casse.

Inspecteur Venise

Une femme répond à la porte. Hugh est planté sur le seuil, en imperméable et coiffé d'un feutre.

Hugh Bonsoir. Inspecteur principal Venise, police judiciaire de Burnham. Je peux entrer ?

Femme Bien sûr que tu peux, mon chéri. Tu es chez toi.

Elle se tourne et s'en va, en laissant la porte ouverte.

Hugh Idiote de bonne femme ! Pauvre idiote de bonne femme ! Reviens ici ! Tu es folle ? Je pourrais être n'importe qui ! Je pourrais être un maniaque !

Femme Mais tu es mon mari, chéri.

Hugh Comment le sais-tu ? J'insiste, comment le sais-tu ? T'ai-je montré une pièce d'identité ?

Femme Non.

Hugh Non, justement.

Femme Mais...

Hugh Demande à voir ma carte de police.

Femme (*Soupir*) Je peux voir ta carte de police, mon chéri ?

Hugh Certainement, madame. Très sage précaution, si je peux me permettre.

Hugh lui présente sa carte de police en la lui mettant sous le nez.

Femme Bien, maintenant est-ce que tu…

Hugh M'enfin, regarde-la ! Tu ne l'as même pas regardée ! Bon sang, je pourrais l'avoir achetée à Whitechapel, pour ce que t'en sais. Je pourrais être un maniaque avec une fausse carte de police.

Femme D'accord. « Inspecteur principal…

Hugh Ne laisse pas la porte ouverte ! Bon Dieu de Bon Dieu ! Utilise la chaîne, ma femme ! À quoi crois-tu qu'elle sert ?

Elle ferme la porte. Hugh reste à l'extérieur tandis qu'elle lit la carte.

Femme (*Off*) « Inspecteur principal Venise. Police judiciaire de Burnham. »

Elle rouvre la porte.

Femme Maintenant entre et viens dîner, mon chéri.

Hugh Entrer où ?

Femme Dans la cuisine.

Hugh Je regrette. Je n'ai pas d'autorisation pour entrer dans la cuisine.

Femme Mais tu n'en as pas besoin. C'est ta cuisine.

Hugh Notre cuisine, ma chérie.

Femme Notre cuisine.

Hugh Tu sais parfaitement que je ne peux pas entrer dans notre cuisine sans ton autorisation express.

Femme Tu as mon autorisation.

Hugh Tu n'as pas oublié quelque chose, ma chérie ?

Femme Quoi donc ?

Hugh On s'était mis d'accord que chacun de nous obtiendrait confirmation par téléphone de l'identité de l'autre avant de lui donner une autorisation express.

Femme Mon Dieu.

Hugh Le téléphone est ici, ma chérie. Et rappelle-toi. Mieux vaut prévenir que finir découpée en petits morceaux par un maniaque qui se fait passer pour moi.

Elle compose un numéro.

Femme Police Judiciaire de Burnham ? Avez-vous dans votre service un inspecteur Venise ? (*Un temps.*) Merci infiniment.

Hugh Alors ?

Femme Ils n'ont jamais entendu parler de toi.

Hugh Merde. Passons, qu'est-ce qu'il y a pour le dîner ? Ça sent super bon.

Femme Ils n'ont jamais entendu parler d'un Inspecteur Venise.

Hugh Une blague, sans doute, c'est tout. On fait tout le temps des blagues, au poste.

Femme Tu n'es pas policier, hein ?

Hugh Non. Non, je ne suis pas policier.

Femme Tu es qui, alors ?

Hugh Un maniaque.

Brigade de choc

Deborah, assise sur un canapé, regarde la télévision.
On tambourine soudain à la porte avec une extrême violence. On entend les voix de Stephen et de Hugh à l'extérieur.

Stephen (*Off*) Suffit de tourner la poignée.

Le tintamarre reprend.

Stephen (*Off*) Tourne la poignée. Qu'est-ce qui te prend ?

Hugh (*Off*) Rien.

Encore du tapage.

Stephen (*Off*) Tout ce que tu as à faire, c'est de...

Hugh (*Off*) Écoute, j'me suis pas trimballé ce truc-là depuis le parking, pour juste tourner la poignée et entrer.

Stephen (*Off*) D'accord, ben, je vais tourner la poignée, moi.

Hugh (*Off*) Fais comme tu veux. Moi, je vais défoncer cette saleté de porte.

La porte s'ouvre. Stephen pénètre dans la pièce.

Hugh (*Off*) Ferme la porte, ferme la porte.

Hugh reste sur le seuil et fracasse la porte à coups de masse.

Deborah (*Terrorisée*) Que voulez-vous ?

Stephen Mrs Catherine Popey ?

Deborah Oui ? Quoi ? Qui êtes vous ?

Stephen Désolé de vous déranger, madame, mon collègue et moi effectuons une enquête de voisinage de routine dans le secteur. Voyez-vous un inconvénient à ce que nous entrions ?

La porte est finalement sortie de ses gonds.

Hugh Terminé.

Deborah Mais pourquoi ne pas avoir sonné ?

Stephen Tu vois, je savais que ça arriverait. La voilà qui me demande pourquoi on n'a pas sonné.

Hugh On pensait que vous n'étiez pas là.

Stephen Non, mauvaise réponse. Ce n'est pas la bonne réponse.

Hugh On ne voulait pas vous déranger.

Stephen Non. Non, non et non.

Hugh Si on avait sonné, me trimballer une masse depuis le parking n'aurait servi à rien du tout.

Deborah Je vois.

Stephen (*Un temps*) Ouaip. Celle-là, ça passe. Bon, Mrs Popey, votre mari est-il là ?

Deborah Quoi ?

Stephen Votre mari. Il n'est pas à la maison en ce moment ?

Deborah Je n'ai pas de mari.

Stephen Vous n'avez pas de mari ? Je vois. Bien.

Hugh Et quand pensez-vous qu'il rentrera ?

Deborah Quoi ?

Stephen Non. Non. Mauvaise question.

Hugh Ah bon ?

Stephen Oui. Bon, alors…

Hugh Et quand pensez-vous qu'elle rentrera ?

Stephen Bon, alors, Mrs Popey, je vous prie d'excuser l'incomplétude de notre fichier. La traçabilité informatique vous indique pourvue actuellement d'un mari.

Deborah Eh bien, je ne le suis pas. Pourvue.

Stephen Vous ne l'êtes pas. Bon, je ferai en sorte que mes collègues corrigent le fichier en conséquence. Et maintenant, Mrs Popey…

Deborah Oui ?

Stephen Votre mari a été passablement occupé ces derniers temps, n'est-ce pas ?

Deborah Quoi ?

Stephen Il nous a bien fait courir.

Hugh Une racaille, et rien d'autre. Une raclure. Une belle ordure qui racle tout ce qu'il trouve dans son super sac à ordures. Voilà ce qu'il est. Et qu'il sera toujours.

Deborah Je n'ai pas de mari. Je ne suis pas mariée.

Hugh On peut retirer les ordures du sac, mais pas le sac, des ordures.

Stephen Ouais…

Hugh Un furoncle sur un tas d'ordures, rien d'autre.

Stephen Ouais, mon collègue a sans doute opté pour un franc-parler plus carré que celui que j'aurais choisi, mais j'aime à croire que c'est pour cela qu'on travaille si bien ensemble. Parce qu'on se complète si bien.

Deborah Vraiment ?

Stephen Oui, on se complète à merveille. Par exemple, tenez. Tu es très élégant avec ta cravate jaune.

Hugh Merci. Et elle s'associe bien avec ton teint jaunâtre.

Stephen Vous voyez ? L'esprit d'équipe. Bon, revenons à nos moutons, Mrs Popey. Votre mari...

Deborah Grand Dieu. Combien de fois faudra-t-il vous le dire ? Je ne suis pas mariée.

Stephen Bien, maintenant...

Hugh Vingt-cinq.

Stephen Excusez-moi un instant, vous permettez, Mrs Popey ? (*À Hugh*) Quoi, vingt-cinq ?

Hugh Elle doit nous redire vingt-cinq fois qu'elle n'a pas de mari.

Stephen Pourquoi ?

Hugh Une fois pour chaque jour de la semaine.

Stephen Ouais, ça ne colle pas vraiment.

Hugh Ah non ?

Stephen Non.

Hugh Très bien. Une fois pour chaque année qu'il passera à l'ombre, cette racaille.

Deborah Écoutez, j'ignore qui vous êtes et pourquoi vous voulez parler à un mari que je n'ai pas, mais je vous répète...

Stephen Oh, on ne veut pas lui parler.

Deborah Ah non ?

Stephen Non non et non.

Hugh Non non. Lui parler ? Non.

Stephen Si j'ose m'exprimer ainsi, vous avez regardé trop de films, Mrs Popey.

Deborah Ma foi, peu importe. Le fait est que je n'ai pas de mari, et donc, pensez-vous possible que vous ayez frappé à la mauvaise porte ?

Stephen Non non et non.

Hugh Non non et non non non et non.

Stephen Non.

Hugh Non. Vous voyez, on y a déjà frappé.

Deborah Où ça ?

Hugh À la mauvaise porte. On en vient tout juste.

Stephen Il se trouve que mon collègue a absolument raison, Mrs Popey. On vient à l'instant de frapper à la mauvaise porte. Donc cette discussion ne tient vraiment pas debout, j'en ai peur.

Hugh Non. Cette discussion se casse la gueule aussi sec.

Stephen Ouais.

Hugh Et ne s'en relève pas.

Stephen Bon, puisque vous affirmez être seule dans la maison, ça ne vous dérange pas qu'on jette un coup d'œil rapide ?

Deborah Rapide comment ?

Stephen Très rapide.

Deborah Ne vous gênez pas.

Stephen Merci.

Stephen et Hugh tournicotent de la tête, bêtement.

Stephen Voilà. Vous ne l'avez pas senti passer, n'est-ce pas ?

Hugh Si, en fait.

Deborah Faites comme bon vous semble, tant que vous ne réveillez pas mon fils.

Stephen Je vous demande pardon ?

Hugh Ouais moi aussi. Je vous le demande.

Deborah Mon fils dort là-haut. J'aimerais mieux que vous ne le réveilliez pas.

Stephen Attendez un instant, Mrs Popey. Rien qu'un instant.

Hugh Ah wouah, la vache. Wouah !

Stephen Une seconde. Vous avez un fils ?

Deborah Oui.

Stephen Bon, enfin, Mrs Popey, on est peut-être idiots, mais pas intelligents. Comment se fait-il que vous ayez un fils sans avoir de mari ? À l'entendre, ça semble d'une grande ingéniosité.

Deborah C'était un matelot.

Stephen Mmm. Dans la marine ?

Deborah Non, pour les fonds offshore de la Nat West.

Stephen Je vois. Bon, laissons ça de côté pour l'instant. Votre fils est à l'étage, vous avez dit ?

Deborah Oui, il dort.

Hugh Quoi, fatigué, c'est ça ?

Stephen Je suis pas surpris qu'il soit fatigué après nous avoir tellement mené en bateau.

Hugh Oui, et comment qu'il nous a mené en bateau. Joliment mené. (*Chantonnant*) Jo... jo... joliment mené, ohé, ohé.

Stephen Je crois qu'on ferait mieux de toucher un mot à ce fils que vous avez, Mrs Popey, si vous n'y voyez pas d'inconvénient.

Deborah Seulement si vous me promettez de partir dès que vous aurez terminé.

Stephen Bien entendu, Mrs Popey. Nous partirons d'ici dès que nous aurons fini d'être là.

Deborah sort.

Stephen Quelle femme charmante.

Hugh Charmante. Délicieuse. Une femme vraiment épatante.

Stephen Elle l'a tellement bien pris.

Hugh Et oui, tu vois.

Stephen Trop bien, peut-être.

Hugh Ben, je ne voulais pas le dire, mais oui, elle l'a peut-être trop bien pris.

Deborah revient, portant un bébé dans son couffin.

Deborah Voici mon fils William.

Stephen Aha. Tu as été un vilain garçon, pas vrai, William ?

Hugh Demande-lui ce qu'il a fait de la camelote.

Stephen Bon maintenant, William, qu'as-tu fait de la camelote ? (*À Hugh*) Quelle camelote ?

Hugh Je ne sais pas. C'était un piège.

Stephen Il n'est pas tombé dedans.

Hugh (*Un temps*) La racaille.

Orthodoxie

Bureau de proviseur. Stephen est à sa table de travail. La pièce évoque une public school, *mais sans ostentation. En fait, pas de banquettes dans l'embrasure de fenêtres gothiques, mais lieu des plus douillets néanmoins. Entre Hugh, en écolier. Uniforme gris, cravate foncée. Apparence terne.*

Stephen Ah, Bamford, entrez, entrez.

Hugh Merci, monsieur.

Stephen Alors, Bamford. Premier jour à St Gray's, hein ?

Hugh Oui, monsieur.

Stephen Et ça se passe bien ?

Hugh (*Timidement*) Pas trop mal, merci, monsieur.

Stephen Pas trop mal, merci, monsieur. Pas trop mal, merci, monsieur. Bon, bon. Bon, bon, bon. Vous trouverez ça étrange au début, si j'ose dire.

Hugh J'ai un peu de mal à trouver mes marques et à savoir où je mets les pieds, oui, monsieur.

Stephen Vraiment, il faut remédier à ça. Peut-être qu'un petit étiquetage de vos semelles pourrait vous aider. Les tout premiers jours sont toujours un peu déroutants.

Hugh Oui, monsieur.

Stephen Prenez garde, Bamford, si on devait croire tout ce qu'on entend à la télévision, on s'imaginerait que les nouveaux élèves passent leurs journées à se faire rôtir devant le feu en se faisant enfourner des fruits dans le... le... rien ne saurait être moins vrai, n'est-ce pas, Bramford ?

Hugh Oui, monsieur.

Stephen Oui, monsieur. Tout à fait. Si des établissements tels que le nôtre ont survécu, c'est qu'ils sont entrés dans l'ère moderne, Bamford. Le progrès, Bamford.

Hugh Monsieur.

Stephen Le progrès n'est pas un terme vulgaire, savez-vous. Cul, l'est, et aussi vulve, jusqu'à un certain point. Apprenez ça, Bamford, apprenez et obéissez.

Hugh Oui, monsieur. Je n'y manquerai pas.

Stephen Le progrès est la serviette de toilette qui nous sèche si on se frotte avec. Le molleton du progrès peut pénétrer le recoin le plus sombre et humide du bourbier de notre moi encrassé, et le rendre propre comme un sou neuf.

Hugh Je ne savais pas ça, monsieur.

Stephen Bon, Bramford, maintenant vous le savez, maintenant vous le savez. Bon. Oh, bon. Très bien. Très, très bien. Magnifique. Magni-fi-que. Excellent. *Eccellente.*

Hugh Hum, y avait-il autre chose ?

Stephen Hum ? Oui, oui en effet, il y avait autre chose. Une rumeur circule chez les troisièmes, selon laquelle vous avez un oncle membre du parlement.

Hugh Oui, monsieur.

Stephen Membre du parlement travailliste, Bamford.

Hugh Monsieur.

Stephen Bon, dans l'ensemble, nos garçons sont plutôt sains, tolérants et indulgents, Bamford. Mais il leur arrive aussi d'être cruels. Vous pouvez répondre à ma prochaine question en toute franchise, ça ne transgressera pas le code de camaraderie que nous autres maîtres connaissons et respectons parfaitement. Vous aurait-on taquiné un tantinet à cause de ce malencontreux lien de parenté ?

Hugh Eh bien, monsieur, pas exactement taquiné… davantage, euh, battu.

Stephen Je vois. Je regrette fort que vous ayez jugé convenable de cafter vos camarades, Bamford. Cela me déçoit. Mais je fermerai les yeux pour cette fois.

Hugh Merci, monsieur.

Stephen Vous êtes un bleu après tout. Savez-vous pourquoi ils vous ont bizuté ?

Hugh Je dois avouer que ça me laisse un peu perplexe, monsieur, à dire vrai.

Stephen Eh bien, voyez-vous, il m'arrive parfois de parler du socialisme dans mes cours d'histoire générale, et je suppose que mes propos ont dû faire une forte impression sur vos camarades de classe. Le zèle politique qui les anime a dû déteindre sur les meilleurs d'entre eux.

Hugh Oh.

Stephen Voyez-vous, j'enseigne aux garçons, et ceci peut vous faire un choc, Bamford, que si le socialisme est tout à fait bon en pratique, il ne marche pas du tout en théorie.

Hugh Je l'ignorais, monsieur.

Stephen Oui. Ça donne à réfléchir, n'est-ce pas ?

Hugh Et c'est pour ça qu'ils m'ont cassé autant la figure, monsieur ?

Stephen Ma foi, Bamford, ils savent que le véritable fléau du socialisme, c'est qu'il traite les gens comme des composants interchangeables. Et qu'il ne tient aussi aucun compte de l'individu, Bamford. Qu'il donne à tout et à tous une uniformité grisâtre et tristounette.

Hugh Oui, monsieur.

Stephen Et le – votre premier bouton est bien défait, Bamford ?

Hugh Oh, oui, monsieur.

Stephen (*Comme récitant un catéchisme*) « Le premier bouton ne doit être boutonné que les Jours Cramoisis ou le jeudi qui précède les autorisations de sortie, autrement c'est le bouton du milieu, à moins d'avoir un mot de l'infirmière indiquant que vous souffrez d'une verrue plantaire, auquel cas le dernier bouton peut être boutonné, mais seulement si la chaussette gauche est baissée, et roulée à demi, entre la rotule et le tendon d'Achille, suivant une horizontale tracée auparavant par Mr de Vere. »

Hugh Excusez-moi, monsieur, j'avais oublié.

Stephen Très bien. Veillez à ce que ça ne se reproduise pas. Où en étais-je ?

Hugh L'uniformité grisâtre et tristounette de tout et tous, monsieur.

Stephen Oui. Oui, exactement. Des files enrégimentées d'automates déshumanisés, plaçant l'état avant l'être, sacrifiant tout pour « le bien de l'État » – un vrai cauchemar. Tel est l'inconvénient du socialisme, il ne tient pas compte de… de quoi, mon garçon ?

Hugh De la personne, monsieur ?

Stephen Non, de l'individu ! Comprenez bien. L'individu est primordial dans tout système politique – vos cheveux débordent de deux centimètres sur le col, voyez Mr Buttaris, qu'il vous corrige ça – l'individu est tout. Très bien, Bamford. Ce sera tout. Nous allons tous faire d'énormes efforts pour ne pas vous tenir rigueur de votre oncle pour l'instant.

Hugh Merci, monsieur.

Stephen Bien. Et haut les cœurs, hein ? Je sais que vous ferez de votre mieux, oui ?

Hugh J'essaierai, monsieur.

Stephen C'est cela, mon garçon. Et pour le bien de l'école, hein ? Pour le bien de cette chère vieille école. Après tout, si l'on assume avec fierté notre réputation historique de meilleur établissement du secondaire de Durham, impossible de vous laisser ne pas nous faire honneur. Allez, maintenant.

Hugh Merci, monsieur.

Stephen (*Sortant une canne de son tiroir*) Et envoyez-moi Scargill[1] junior, voulez-vous ?

1 Arthur Scargill, dirigeant du Syndicat national des Mineurs, mena la grève la plus longue de l'histoire du mouvement ouvrier britannique. Margaret Thatcher remporta ce bras de fer qui dura une année entière (1984-1985). (N.d.T.)

Critiques 3

Stephen et Hugh siègent encore une fois sur leurs fauteuils pivotants.

Stephen Vous avez vu ça, Simon Clituris. Qu'en pensez-vous ? Qu'en concluez-vous ?

Hugh Ma foi, voyez-vous, ils sont tombés dans le vieux, vieux piège de recourir à un matériel qui est par essence auto-référentiel.

Stephen Par le terme « auto-référentiel », vous entendez...

Hugh Se présenter soi-même comme une personne d'importance, voire même intéressante.

Stephen Pas bon. Pas bon. N'êtes-vous pas un peu las cependant du matériau humoristique télévisuel *qui parle de* la télévision ?

Hugh Très las. Épuisé.

Stephen Je trouve que ceux qui font l'amour avec leurs proches parents ont quelque chose de fort incestueux. Mais ça ne gêne peut-être que moi.

Hugh J'aurais aimé, voyez-vous, j'aurais aimé qu'ils soient venus me trouver quand ils ont écrit ce sketch. J'aurais pu juste leur signaler où ils avaient fait fausse route.

Stephen J'ai eu exactement la même impression. Les remettre gentiment sur le droit chemin. Ils n'ont besoin de rien d'autre. Il y a un certain *talent* à l'œuvre, là-dedans.

Hugh Vous leur auriez dit ça ?

Stephen Je ne serais peut-être pas allé jusqu'à talent. Je ne crois pas qu'ils feraient des critiques très impressionnants par exemple.

Hugh Ils diffusent ces trucs-là sans nous consulter au préalable. Mais enfin, on est là pour les aider.

Stephen Les aider et les critiquer. J'en ai plus qu'assez de ce genre de comique qui n'a qu'un complet et profond mépris pour les gens tels que nous.

Hugh C'est intéressant, voyez-vous, si vous comparez ce sketch avec l'œuvre de quelqu'un comme Diana Craignosse.

Stephen Ah. Alors, vous voyez ?

Hugh Diana est observatrice, elle est dans le réel, elle dit la vérité.

Stephen Elle dit toujours la vérité. Elle est magnifiquement réelle et véridique. Très concrète.

Hugh Mais enfin ça ne marche pas à tous les coups.

Stephen Oh que non.

Hugh Elle commet des erreurs, mais qui n'en fait pas parmi ses semblables ?

Stephen C'est juste. On ne peut pas être tous critiques, grands dieux.

VOX POPULI

Stephen Ce qu'il faut faire, c'est les ébouillanter un bon quart d'heure. Puis les trancher par le milieu. Mais aujourd'hui ces juges sont mous. Beaucoup trop mous.

Une discussion à cœur ouvert

Chez lui, dans sa cuisine, Stephen sort deux verres et une bouteille de whisky. Hugh est attablé, légèrement embarrassé.

Stephen On va attendre que ces dames rentrent du théâtre, hein ?

Hugh Oui, oui – bonne idée.

Stephen Pour ma part, je ne vois pas ce qu'elles trouvent à rester assises dans le noir pour écouter une flopée d'absurdités démodées.

Hugh Ma foi, elles semblent y prendre plaisir.

Stephen Toi, je ne sais pas, mais quand moi, je vais au théâtre, c'est pour me distraire.

Hugh Ma foi, je pense qu'elles aussi.

Stephen Si c'est pour entendre une flopée de jurons et de puérilités prétentieuses, autant rester à la maison.

Hugh N'empêche. Elles attendaient ce moment depuis longtemps.

Stephen (*Remplissant les verres*) Bon. Bon.

Hugh De *mon* côté, j'attendais *ça* depuis longtemps, en fait, Matthew : l'occasion d'une discussion à cœur ouvert.

Stephen Oui. Bien. C'est toujours sympa d'avoir une bonne... de l'eau ?

Hugh Merci.

Stephen (*Ajoutant de l'eau au verre de Hugh*) ... conversation, n'est-ce pas ?

Hugh Mmm. Je vous connais depuis combien de temps, Sarah et toi ?

Stephen Houlà, chh. Ça doit bien faire...

Hugh Plus, je dirais.

Stephen Oui. Même encore plus, c'est possible.

Hugh Sarah et toi, vous formez un sacré couple.

Stephen Eh bien, je vais te dire une chose, Dominic. Sans Sarah, je ne sais pas où j'en serais.

Hugh Ah.

Stephen Une femme exceptionnelle. Je crois que je l'aime plus encore aujourd'hui que lorsque je l'ai rencontrée. Je ne serais rien sans elle. Perdu. Une ombre. Rien. Une page blanche. Un zéro.

Hugh Mmm.

Stephen Ah mon Dieu, que je l'aime.

Hugh Oui. Le fait est que. Mmm. Bon. Tu sais que Mary et moi, nous avons traversé un passage difficile, récemment ?

Stephen (*Surpris*) Non. Non, je n'étais pas au courant. Un passage difficile ?

Hugh Oui.

Stephen Quel genre de passage difficile ?

Hugh Ma foi, juste un passage difficile en général, vraiment, tu sais bien.

Stephen Oh là là. Que les moments difficiles sont haïssables.

Hugh Ils peuvent l'être, c'est certain. Toi et Sarah n'avez jamais...?

Stephen Quoi ? Non. Pas nous. On forme une équipe. Il n'y a jamais eu l'ombre d'un passage difficile entre nous. Sais-tu qu'en quinze ans de mariage, je n'ai même jamais regardé une autre femme.

Hugh Vraiment ?

Stephen Bon, sauf ma mère, bien entendu.

Hugh Hum...

Stephen Mais bon, on doit regarder sa mère, non ? Ce serait grossier de ne pas le faire. Et je sais que pour Sarah, c'est pareil.

Hugh Elle n'a jamais...?

Stephen Non. Elle ne m'a jamais trompé.

Hugh Elle n'a jamais eu, par exemple, de liaison qui a duré dix ans avec, disons, ton meilleur ami, disons ça, façon de parler, pour les besoins de la discussion, hum ?

Stephen Sarah ? Non. Elle aimerait mieux couper les pieds de sa table préférée. Fidèle comme un jour sans pain.

Hugh Bon.

Stephen Bref. Et cette discussion à cœur ouvert ?

Hugh Ah.

Stephen Tu avais envie de me dire quelque chose ?

Hugh Exact. Oui.

Stephen Alors, vas-y.

Hugh Ce n'est pas facile. C'est juste que... cette vieille liaison de dix ans à laquelle je viens de faire allusion...

Stephen Mary.

Hugh Quoi ?

Stephen Oh non, pas ça. Tu as découvert que ta femme, Mary, a une liaison. Dominic, je ne sais que dire.

Hugh Non, non. Mary ne me tromperait pas, je le sais… c'est bien ce qui rend tout ça si difficile.

Stephen Je suis confus. J'étais pourtant tout à fait persuadé que Mary et moi avions été parfaitement discrets.

Hugh C'est tout le contraire, c'est moi qui… quoi ?

Stephen Quoi ?

Hugh Qu'est-ce que tu viens de dire ?

Stephen Oh rien. Juste que j'étais certain que Mary et moi avions été bien trop discrets pour que tu aies pu remarquer que nous avions une liaison passionnée à ton nez et à ta barbe, depuis… douze ans, je dirais. Au minimum.

Hugh Toi et Mary, vous êtes…

Stephen Oh mon Dieu, oui.

Hugh Mais tu viens de me dire que tu n'avais jamais regardé une autre femme à part Sarah et ta mère.

Stephen Et Mary, évidemment. Ça va sans dire.

Hugh Eh bien, voilà qui facilite grandement ce que j'allais te dire.

Stephen Ah oui ?

Hugh Tu seras peut-être intéressé d'apprendre que ta bien-aimée Sarah et moi avons aussi une liaison depuis… eh bien, depuis onze ans au minimum.

Stephen Je te demande pardon ? Toi et Sarah ?

Hugh Oui, je pensais que ça pourrait te secouer un peu.

Stephen Faux jetons, la belle paire d'infidèles que vous…

Entrent Sarah et Mary.

Mary Salut, vous deux.

Sarah Non, mais regarde-les avec cette bouteille de whisky. J'y crois pas.

Hugh Sarah, ma chérie, c'est vrai que toi et… que vous deux êtes…

Stephen Dis-moi, Mary, que ce n'est pas vrai que vous deux, vous êtes... hein ? Dis-moi que non.

Sarah et Mary se regardent et poussent un soupir.

Sarah De toute façon, on allait vous le dire, n'est-ce pas, ma chérie ?

Mary Oui. Ce soir, en fait.

Sarah Mary et moi avons une liaison depuis quatorze ans.

Mary Une liaison passionnée.

Sarah Je dirais même plus : passionnelle.

Hugh Vous quoi ?

Mary J'ignore comment tu l'as découvert.

Sarah (*À Mary*) Tu n'as pas laissé traîner le machin truc, hein ?

Stephen Non, toi et Dominic, je voulais dire. Toi et Dominic avez une liaison depuis onze ans au minimum.

Hugh Et toi et Matthew, Mary.

Sarah Ah ça. Ma foi, c'était juste un moyen pour détourner l'attention, en fait.

Stephen Ah tiens ? Eh bien, Dominic, ça nous facilite grandement de leur dire la chose, hein ?

Hugh Et comment. Ça vous intéressera peut-être de savoir que Matthew et moi sommes... comment formuler ça ?

Sarah Amants ?

Mary Sex-friends ?

Stephen Partenaires de plaisir ?

Sarah Heureux potes ?

Hugh Oui, bon, tout ça à la fois depuis… quoi ?

Stephen Houlà. Ça fait bien dix-huit ou vingt ans minimum, hein ?

Hugh Oui, depuis dix huit ou vingt ans.

Sarah Eh ben.

Mary Franchement.

Sarah Donc, vous êtes en train de nous dire qu'on a tous couchés ensemble.

Stephen Ça m'en a tout l'air, oui.

Mary Mais séparément.

Hugh Oui, séparément, c'est évident.

Stephen En épuisant toutes les combinaisons possibles.

Sarah Eh ben. Quel micmac. Quel embrouillamini.

Mary Je ne sais que dire.

Stephen Vous parlez d'un bourbier, pas vrai ?

Hugh Bon. Bien. On fait quoi ?

Stephen J'aurais cru que ça sautait aux yeux.

Mary Tu veux dire...?

Sarah Il n'y a qu'une seule chose à faire.

Hugh Laquelle ?

Sarah Aller au lit tous ensemble.

Hugh Ah. Oui.

Ils filent tous au lit.

Café

Stephen entre dans un café. Hugh, sanglé d'un tablier, est derrière le comptoir ; il l'essuie.

Stephen 'Jour.

Hugh 'Jour.

Stephen J'aimerais un sandwich au thon et un thé, s'il vous plaît.

Hugh Moi aussi, pour vous parler franchement.

Stephen Je vous demande pardon ?

Hugh Ma foi, je ne suis pas très fixé sur le sandwich au thon – un beignet, peut-être – mais j'aimerais bien un thé, c'est sûr. Je meurs de soif.

Stephen Mon Dieu, hé bien, puis-je en avoir un aussi ?

Hugh Quoi ?

Stephen Un thé.

Hugh Vous me le demandez à moi ?

Stephen Oui.

Hugh Oh, ah ah. Je crois qu'il y a un léger malentendu. Je ne travaille pas ici en fait.

Stephen Ah non ?

Hugh Non.

Stephen Oh je suis vraiment désolé. Je pensais…

Hugh Oh, le tablier et tout ça… oui. Non, je ne travaille pas ici. Non trois fois non. Ah ah ah. C'est très amusant, en fait.

Ils regardent tous deux le long du comptoir comme s'ils espéraient y dénicher le patron.

Stephen Bon… c'est fermé ?

Hugh Je ne crois pas. On aurait mis un écriteau.

Stephen Oui, j'ai pensé que ça voulait dire « ouvert. »

Hugh Ouais, je crois que c'est ouvert. P'tain, j'ferais bien sa fête à un beignet.

Stephen Vraiment, oui, un beignet ne serait pas de refus.

Hugh Je me disais que je pourrais peut-être en prendre un, puis déposer l'argent à côté. À votre avis ?

Stephen C'est une possibilité, je suppose.

Hugh Évidemment, je ne sais pas combien ils coûtent.

Stephen (*S'éclaircissant la gorge)* Rreum…

Hugh Oui ?

Stephen Dites-moi, si vous ne travaillez pas ici, que faites-vous derrière le comptoir ?

Hugh Moi ?

Stephen Oui.

Hugh Je suis un policier en civil.

Stephen Ah bon ?

Hugh Ouais.

Stephen Je vois.

Hugh Pffouaf. Ces beignets me rendent givré. Je vais finir par être contraint de les boucler d'une minute à l'autre.

Stephen Oui, d'accord. Votre incognito est des plus infimes, hein ?

Hugh Que voulez-vous dire par là ?

Stephen Ma foi, je veux dire, à quoi bon être en civil si c'est pour me dire que vous l'êtes ?

Hugh (*Après un assez long temps)* Au fond, vous avez tout à fait raison.

Stephen Oui.

Hugh Ce que vous me dites, c'est que je n'aurais pas dû vous confier que j'étais un policier en civil ?

Stephen Exactement.

Hugh Ouais, vous avez raison. Parce que, au fond, vous savez maintenant que je suis de la police.

Stephen Oui.

Hugh Donc, la raison pour laquelle je porte ce tablier et suis planté là depuis huit heures ce matin… eh bien, n'a plus de raison d'être, en fin de compte.

Stephen Vous m'en direz tant. Mais ça ne me regarde absolument pas.

Hugh Non non ah non. Ne dites jamais que ça ne vous regarde pas. Non, on a besoin que le public se manifeste. Croyez-moi, on vous en est grandement reconnaissants.

Stephen De rien.

Hugh Bien évidemment, on a aussi besoin que le public la ferme et ne révèle à personne d'autre que je suis un policier.

Stephen Oui, bien entendu.

Hugh Bon. Vous avez tout à fait raison, cependant. Ne pas dire qu'on est un policier en civil. Ouais. Merci.

Stephen Alors, vous guettez l'arrivée d'un criminel ou autre ?

Hugh C'est juste, bizarrement, oui. Je guette l'arrivée d'un criminel, et quand il pénètrera dans le périmètre, passez-moi l'expression, il peut s'attendre à être chaudement reçu.

Stephen Je vois. Ça va être excitant.

Hugh Les gens disent souvent ça, mais non, ça n'a rien d'excitant. C'est du travail sur le terrain à quatre vingt dix pour cent, la routine.

Stephen Effectivement.

Hugh Vous n'êtes pas un criminel, par hasard ?

Stephen Moi ?

Hugh Oui.

Stephen Non.

Hugh Ah très bien. Parce que j'aurais été forcé de vous réserver une chaude réception si ça avait été le cas.

Stephen Mais alors, bien entendu, je ne vous aurais sans doute pas dit que j'en étais un.

Hugh Ouais. Juste.

Stephen Maintenant que je sais que vous êtes de la police.

Hugh Oh je pige. Vous ne me le diriez pas, parce que vous savez maintenant que je suis de la police.

Stephen Oui. C'est-à-dire, si j'étais le criminel.

Hugh Juste. Juste. Vous êtes le criminel ?

Stephen Non.

Hugh Ah, très bien.

Stephen Mais il se trouve que je pourrais l'être.

Hugh Oh, je vous arrête tout de suite, voilà que vous vous remettez à dérailler. Vous venez de dire que vous ne l'étiez pas.

Stephen Je ne le suis pas.

Hugh Bien.

Stephen Mais je pourrais l'être.

Hugh Tout ça devient idiot.

Stephen Pas vraiment. Vous voyez, si j'étais un criminel, je ne vous dirais pas que j'en suis un. Si je ne l'étais pas, je ne vous dirais pas non plus que j'en suis un. Donc, le simple fait de dire que je n'en suis pas un ne veut pas dire que je n'en suis pas un. De criminel.

Hugh Vous ne seriez pas un de ces connards qui glissent entre les doigts comme une savonnette ?

Stephen Je vous demande pardon ?

Hugh Vous avez lu un tas de bouquins, je suppose ?

Stephen Ma foi, vous savez...

Hugh L'un de mes regrets d'être entré dans les forces de l'ordre. Pas le temps de lire.

Stephen Mmm. Dommage.

Hugh Voudriez-vous partager un beignet avec moi ?

Stephen Hum, non, merci.

Hugh agite agressivement la moitié du beignet sous le nez de Stephen.

Hugh C'est pour vous.

Stephen Non, vraiment je n'en veux pas, merci.

Hugh Allez-y.

Stephen Non.

Hugh Prenez.

Stephen Non !

Hugh écrase la moitié du beignet sur le visage de Stephen.

Stephen Que faites-vous ?

Hugh Je vous donne la moitié de ce beignet.

Stephen Je n'en veux pas !

Hugh Vous me trouvez idiot.

Stephen Quoi ?

Hugh Simplement parce que vous avez lu des livres, et moi, pas, vous pensez que je suis idiot.

Stephen Pas du tout.

Hugh Si vous n'aviez pas envie d'un beignet, vous diriez que vous en avez envie. Donc le simple fait que vous êtes un criminel ne veut pas dire que je n'ai pas à vous donner un beignet, car vous avez dit que vous n'aviez pas envie d'un beignet d'entrée, ce qui est en fait ce que vous diriez si ce beignet était un policier.

Stephen Vous êtes fou.

Hugh Moi, fou ? Votre première erreur. Je ne vous ai jamais dit que j'étais fou. Je vous ai dit que j'étais policier. Mais vous venez de me traiter de policier fou. Comment auriez-vous pu le savoir, si je ne vous l'avais pas dit ? Donc, j'ai dû vous le dire. Sauf que je ne l'ai pas fait, alors comment le savez-vous ?

Stephen Ça crève les yeux.

VOX POPULI

Stephen Je n'ai rien contre la maison que j'habite en ce moment. Elle est juste un poil individuelle.

Ne jugez pas

Hugh est un juge portant perruque. Stephen est un avocat portant la robe. Il se livre au contre-interrogatoire d'un témoin : une femme, Deborah.

Stephen Donc, Miss Tayau, vous espérez que la cour va croire que dans la soirée du quatorze novembre dernier, l'année même où, je le rappelle à la cour, le crime dont on accuse mon client a eu lieu, vous vous promeniez simplement dans le parc ?

Deborah C'est exact.

Stephen C'est quoi ?

Deborah Exact.

Stephen Oh, c'est exact, hein ? Je vois. Ai-je raison d'en déduire, Miss Tayau, que Gertrude Stein, l'écrivaine américaine, était une lesbienne impénitente ?

Deborah Je crois.

Stephen Vous croyez ? Gertrude Stein est encore l'une des plus célèbres romancières américaines du siècle dernier, Miss Tayau.

Ses penchants lesbiens sont de notoriété publique.

Deborah Oui.

Stephen Mais vous « croyez » seulement qu'elle était lesbienne ?

Deborah Ma foi, je n'y ai jamais beaucoup réfléchi. Je n'ai lu aucun de ses livres.

Stephen Miss Tayau, à un jet de pierre de votre « appart », se trouve une librairie où les œuvres de Gertrude Stein sont en vente libre.

Deborah Oh.

Stephen Oui ; « oh. » Et pourtant vous voudriez nous faire accroire qu'on ne sait comment, lors des nombreuses occasions où vous avez dû passer, dans l'accomplissement de vos devoirs de femme, devant cette librairie en faisant vos courses, vous avez complètement négligé d'entrer y acheter un ouvrage de cet auteur ouvertement disciple de Sapho ?

Hugh Maître Foley, je crains d'avoir du mal à voir où nous mène ce genre de questionnement.

Stephen Avec votre permission, monsieur le juge, je tente d'établir que ce témoin s'est rendue coupable d'avoir élaboré un tissu de jérémiades et que, loin d'être la présidente respectable d'une association caritative et la fille d'un ambassadeur, ce que mon savant ami l'avocat général aurait voulu nous faire croire, elle n'est en réalité qu'une goudou active, d'une immoralité vorace.

Hugh Je vois. Poursuivez. Mais je dois vous prévenir, maître Foley, que si vous tentez de malmener ou de contraindre le témoin, je le désapprouverai fortement.

Stephen Votre honneur, vous êtes à croquer.

Hugh Très bien alors, vous pouvez continuer.

Stephen Êtes-vous consciente, Miss Tayau…

Deborah C'est Mrs en fait.

Stephen Oh. Oh, je vous demande bien pardon. Si vous tenez à en faire tout un plat, loin de moi l'idée de vous en empêcher, « Mrs » Tayau, si vous préférez qu'on vous nomme ainsi.

Deborah C'est mon mari qui préfère qu'on me nomme ainsi.

Stephen Votre mari, l'évêque bien connu ?

Deborah Oui.

Stephen Évêque d'une religion, l'Église de... ah... d'Angleterre, je crois qu'elle se fait appeler, qui est propriétaire de terrains sur lesquels on a bâti des maisons, maisons dans lesquelles, selon toutes les probabilités et statistiques, des actes d'amour saphique ont été commis en privé ?

Hugh Maître Foley, je crains bien devoir vous interrompre à nouveau. Je suis moi-même membre de cette même église. Dois-je supposer vu la teneur de votre charge que je suis lesbienne ?

Stephen Votre honneur m'a mal compris...

Hugh J'espère bien. Et j'espère que ce n'est pas demain la veille que l'on pourra m'accuser de faire l'amour à une femme ! Ah ah ah.

Stephen Certainement, mon cœur. Loin de moi l'idée de sous-entendre...

Hugh L'attirance pour les femmes, cependant, aussi répugnante puisse-t-elle sembler aux personnes sensibles, n'est pas en soi un délit.

Stephen Votre honneur, je vous adore.

Hugh Il faut donc nous souvenir, maître Foley, malgré notre désir ardent d'aller au fondement de la chose, que Mrs Tayau n'est pas au banc des accusés, mais seulement témoin. En dépit de la dépravation et mauvaiseté de ses actes de luxure – et ce, dans toute leur dégoûtante perversion dégénérée – ils ne font pas l'objet de cette cour d'assises, aussi entachés de bestialité soient-ils.

Stephen Je suis à vous pour toujours, mon cher.

Hugh Poursuivez s'il vous plaît.

Stephen Je ne désire pas, « Mrs Tayau », infliger à la cour davantage de détails sordides de votre parcours érotique tout sauf respectable qu'il n'est nécessaire. J'aimerais simplement vous demander comment il pourrait se faire que vous attendiez des jurés qu'ils ajoutent foi au témoignage d'une camionneuse de votre monstrueux acabit, opposé à la parole d'un respectable homme d'affaires.

Deborah Je ne fais que rapporter ce que j'ai vu.

Stephen Ce que vous avez vu ? Ce que vous avez vu de vos yeux aveuglés par le stupre ?

Ce que vous avez vu, exaspérée par les sucs toxiques de pratiques infâmes ?

Deborah Ce que j'ai vu en revenant de la réunion du conseil de la paroisse.

Stephen N'est-il pas pleinement avéré que « conseil de la paroisse » est la métaphore de « goudou honteuse » ?

Deborah Euh...

Stephen Vous hésitez, Miss Cuvette !

Deborah J'étais...

Stephen Votre propre bouche souillée et contaminée vous condamne.

Deborah Je...

Stephen Pas d'autres questions.

Deborah Eh bien...

Hugh Vous pouvez quitter la barre, Miss Goudou.

Deborah Oh. Tu viendras prendre le thé à cinq heures, Jeremy ?

Stephen Certainement, maman. (*Plus fort*) J'appelle à comparaître Sir Anthony Inverty.

VOX POPULI

Stephen Bien entendu, la criminalité est vouée à croître. Si vous êtes le genre de personne qui désire lancer une chaîne de télévision satellite, sans pouvoir obtenir l'autorisation d'émettre, la criminalité est une alternative évidente.

Psychiatre

Hugh, américain, est debout. Stephen, Anglais, est étendu sur un divan.

Hugh Êtes-vous à l'aise, et détendu, Mr Lloyd ?

Stephen Oui, très. Ce siège est très confortable.

Hugh Rien d'étonnant à cela, Mr Lloyd. L'un de mes amis l'a conçu, sur mes indications, dans le but de vous détendre et de vous mettre complètement à l'aise.

Stephen Eh bien, il est très confortable.

Hugh Mon ami sera enchanté de l'apprendre. Bon, Frank – je vous appellerai Frank au cours de l'ensemble de ces séances. C'est O.K. pour vous ?

Stephen D'accord.

Hugh J'ai découvert que ça aide aussi à la détente et met dans un état où l'on se sent capable de me parler librement. Ça marche ?

Stephen Oui.

Hugh Bien. Alors, maintenant…

Stephen Je m'appelle Jonathan, je ne sais pas si cela...

Hugh Bien. On découvre déjà de nouvelles choses. Bon, Frank, je veux que vous inspiriez à fond par la bouche.

Stephen (*S'exécutant*) Haah !

Hugh Bien. Et maintenant j'aimerais que vous expiriez à fond par le nez.

Stephen éjecte un peu de morve en obéissant à sa demande.

Hugh Inspirer par la bouche, expirer par le nez. Vous savez quel nom on donne à ça, Frank ?

Stephen La respiration.

Hugh Très bien, Frank, c'est ce qu'on appelle thérapie respiratoire relaxante inter orale extra nasale – et comme son nom l'indique, c'est une technique américaine. Bien calmement et régulièrement. Frank, je veux maintenant que vous vous autorisiez à revenir mentalement en arrière. Reportez-vous loin, très loin en arrière dans le temps.

Stephen D'accord.

Hugh Êtes-vous revenu en arrière ?

Stephen Oui.

Hugh Bien, vous êtes retourné en arrière. Que visualisez-vous, Frank ?

Stephen L'Invincible Armada.

Hugh Vous êtes peut-être revenu un petit peu trop en arrière, là, Frank.
Je parle de vos souvenirs, Frank. De votre statut d'enfant. Je veux examiner toutes les données sensorielles de votre petite enfance. Retournez au moment où vous étiez à l'école primaire.

Stephen Laquelle ?

Hugh L'école primaire.

Stephen Je ne sais pas ce que c'est. Je n'ai jamais rien compris à tout ce qui se rapporte au scolaire : primaire, secondaire, tertiaire... Dans la vie comme dans les films.

Hugh O.K., Frank. Maintenez votre rythme respiratoire et tournons-nous alors, si c'est possible, vers vos rêves. Vous rêvez, Frank ?

Stephen Oui, en effet, ça m'arrive.

Hugh Vous rêvez ? Ma foi, c'est très bien. Êtes-vous capable en ce moment de faire remonter à la surface de votre conscience une séquence récurrente d'un de vos rêves nocturnes ?

Stephen Eh bien, je fais un rêve récurrent, oui.

Hugh Bon, maintenant, prenons le temps d'analyser cette séquence ensemble.

Stephen C'est un rêve plutôt étrange.

Hugh Est-ce, Frank, je me le demande, un rêve de nature érotique ?

Stephen Non, pas vraiment.

Hugh Oh. Ma foi, j'aimerais l'entendre quand même.

Stephen Comme je vous l'ai dit, il est un peu bizarre.

Hugh D'ordinaire, Frank, plus le rêve est outrancier ou bizarre, plus il se rend susceptible de la sorte d'être interprété de façon efficace. Inversement, les expériences oniriques les plus simples résistent davantage à l'explication et présentent une morphologie plus complexe à l'enquêteur professionnel assez audacieux pour oser toutefois s'y aventurer.

Stephen Je vois.

Hugh Mais haut les cœurs, Frank. C'est mon problème. Vous avez fait un rêve, parlons-en. Qu'avez-vous à me dire ?

Stephen Êtes-vous certain que tout ça va nous mener quelque part ?

Hugh Tout dépend de là où vous avez envie d'être, Frank.

Stephen Eh bien...

Hugh Où avez-vous envie d'être ?

Stephen Eh bien, j'ai envie...

Hugh J'ai envie d'y être aussi, Frank. J'ai envie de vous y emmener. (*Posant sa main sur l'épaule de Stephen*) N'ayez pas peur. Je vous fais peur, Frank ?

Stephen Non, pas vraiment.

Hugh Vous en êtes bien sûr ?

Stephen Ma foi, un peu peut-être.

Hugh (*D'une voix incroyablement forte*) Je vais vous tuer !

Stephen (*Sursautant*) Bon Dieu !

Hugh Vous avez eu peur, hein ?

Stephen Oui. Oui, vraiment peur.

Hugh Bien. J'aime bien connaître les barrières entre lesquelles je peux opérer. Poser ma main sur votre épaule ne vous a pas effrayé. Vous crier à l'oreille que j'allais vous tuer l'a fait. Telles sont mes limites. Mon plafond et mon plancher, si vous voulez.

Stephen Avez-vous envie d'entendre mon rêve, oui ou non ?

Hugh J'en ai très envie, Frank. Vraiment. Allez-y.

Stephen Eh bien, je suis dans un couloir…

Hugh Frank, j'ai un petit magnéto, là. Ça vous dérange si je… ?

Stephen Non, non. Bonne idée. Mon rêve est plutôt compliqué.

Hugh Merci.

Stephen Je me trouve dans un grand bâtiment. Je crois que c'est un hôpital…

Hugh allume son magnéto : de la pop music en sort. Hugh se met à chanter en tapant du pied.

Stephen Qu'êtes-vous en train de…?

Hugh Continuez, je vous en prie, Frank.

Stephen Je crois que c'est un hôpital, mais ce n'en est pas un. C'est une sorte d'institution. Il y a un grand escalier et un homme en uniforme au sommet. Un concierge ou je ne sais quoi. Il me fait signe… écoutez, je ne peux pas me concentrer avec tout ce boucan.

Hugh (*En éteignant*) Je vous demande sincèrement pardon, Frank. Continuez, je vous en prie.

Stephen Eh bien, bref, le concierge me fait signe et alors, je me réveille.

Hugh Vous vous réveillez. Je vois. Bon, à vous entendre…

Stephen Et presque aussitôt, on me choisit comme mur de salle de bains.

Hugh Frank, je ne me suis jamais considéré comme un imbécile, mais même dans ce cas, je vais avoir besoin d'un coup de main pour comprendre votre dernière phrase. On vous choisit comme mur de salle de bains.

Stephen Eh bien, vous voyez, le truc c'est que je ne me suis pas réveillé. Je ne me suis réveillé que dans mon rêve. Et en me réveillant, je découvre que je suis la couleur bleue.

Hugh La couleur bleue.

Stephen C'est ça. Et quelqu'un me choisit pour le mur de sa salle de bains.

Hugh Je vois. Et vous devenez la couleur de ce mur ?

Stephen Non. Il se trouve que je suis une nuance de bleu particulière, très difficile à trouver en magasin. Le mur de la salle de bains, au final, est un poil trop vert. Mais on réussit à pactiser.

Hugh Pardon ?

Stephen La couleur du mur de la salle de bains et moi, on s'entend assez bien. Sans rancune aucune.

Hugh Je vois. Cette salle de bains, Frank. Est-ce celle d'une dame ?

Stephen Euh... oui, je crois.

Hugh Et elle aime se baigner dans la baignoire dans cette salle de bains ?

Stephen Ben, je suppose que oui.

Hugh Elle vous attire ?

Stephen Ben, non. Je suis la couleur bleue, comment pourrais-je...?

Hugh Mais elle est attirée par vous.

Stephen Ben…

Hugh Elle vous a choisi, Frank. Parmi toutes les autres couleurs, elle vous a choisi, vous.

Stephen Oui.

Hugh Eh bien, voilà. Elle est attirée par vous.

Stephen Elle m'a choisi parce que je lui ai rappelé la couleur d'un bleu qu'elle s'est fait une fois à l'intérieur de la cuisse.

Hugh Là, nous allons quelque part, Frank. Vous vous souvenez d'avoir été la couleur de ce bleu-là ?

Stephen Vaguement.

Hugh C'est une séquence intéressante, Frank. Que se passe-t-il après ?

Stephen Je vais vous raconter la suite de mon rêve, je pense.

Hugh Oui.

Stephen Je me retrouve dans le couloir d'une grande maison, voisine du Collège d'Eton. Le Prince Harry court vers moi, prêt à me lancer une balle de cricket et je n'ai pas de batte. Le Prince Harry court et va lancer, et je n'ai pas de batte. Ça signifie quoi ?

Hugh Il est peut-être un peu tôt pour le dire, Frank.

Stephen Mais tout à coup, je m'aperçois que ce n'est pas le Prince Harry, tout compte fait, mais un animateur vedette.

Hugh Redites-moi ça.

Stephen Vous savez bien, *Les causeries de minuit.* L'animateur se tourne vers moi et j'aperçois son visage. Ce n'est plus qu'un masque grimaçant de haine et de fureur. Je baisse les yeux et je découvre que j'ai une batte dans les mains. Je n'en avais pas quand c'était le Prince Harry, mais j'en ai une quand c'est le type de la télé. Pourquoi ? Pourquoi ? Je suis fou ?

Hugh Fou ? Frank, « fou » n'est pas un terme que j'aime à utiliser. Disons simplement que nous sommes tous toujours à moitié « fous », déséquilibrés, et que l'autre moitié est saine, rationnelle, de sang froid.

Stephen Oh je vois. Vous voulez dire que chaque personne a deux facettes ?

Hugh Non, je parle de nous deux. Nous sommes à moitié sains d'esprit, ça c'est moi, et à moitié fous, ça c'est vous, Frank.

Stephen Je dois dire que vous me semblez plutôt atypique. Votre dernier confrère que j'ai consulté m'a juste fait deux, trois plombages.

Hugh La chirurgie dentaire a effectué de nombreux progrès, Frank.

Stephen Manifestement.

VOX POPULI

Hugh Ouais, j'y suis allé une ou deux fois, mais je n'ai pas beaucoup aimé. Il y en a un autre sur l'A12 qui est meilleur, je crois.

Démence

Stephen s'adresse à la caméra, comme il le fait souvent. Il parle au Dr Mijaurée, femme à l'air distingué, portant un badge où on lit : « Dites non à la Démence. »

Stephen Chaque jour en Angleterre, plus de dix millions de personnes sont en état de démence. C'est la conclusion inquiétante d'un rapport qu'on vient de publier, et intitulé : « La Grande-Bretagne devient-elle une Nation de Déments ? » Le Dr Marjorie Mijaurée est à mes côtés. Dr Mijaurée, quelle est la gravité exacte du problème...

Deborah C'est très grave en...

Stephen Un instant, je n'ai pas terminé.

Deborah Excusez-moi.

Stephen ... en réalité ?

Deborah (*Un temps.*) Je peux ?

Stephen Oui, continuez.

Deborah C'est très grave en effet. En 1957, quand on a commencé à relever les données, nous étions, je crois, le sixième pays d'Europe le plus dément. Alors que les chiffres de l'an dernier montrent qu'aujourd'hui, je le crains, la Grande-Bretagne est passée en tête dans la Communauté européenne…

Stephen Et il s'agit bien d'une communauté, n'est-ce pas ?

Deborah Mais oui… et donc, la Grande-Bretagne est aujourd'hui à la tête de l'Europe sur le plan de la démence.

Stephen C'est une tendance inquiétante, certes.

Deborah Vous êtes très aimable.

Stephen Pas du tout. Et maintenant, Dr Mijaurée, au cas où des téléspectateurs viendraient juste de zapper, cela vous dérangerait-il que nous reprenions cette discussion depuis le début ?

Deborah Très volontiers.

Stephen « La Grande-Bretagne devient-elle un pays peuplé de déments ? »
Le Dr Marjorie Mijaurée est avec nous. Dr Mijaurée, quelle est la gravité de ce problème, en réalité ?

Deborah Pas très.

Stephen Pas très quoi ?

Deborah Grave.

Stephen Ah bon ?

Deborah Non.

Stephen Je vois. Oui. Quand on dit que la Grande-Bretagne est l'un des pays les plus déments d'Europe, de quelle sorte de démence parle-t-on exactement ?

Deborah De toutes sortes, en fait – de la folie douce qui conduit certains individus à mettre un chapeau quand ils montent en auto à la folie vraiment furieuse dont font preuve ceux qui écrivent aux pages « commentaires » des journaux pour donner leur avis.

Stephen Intéressant. C'est un échantillon de démence plutôt large, n'est-ce pas ?

Deborah Je pense que nous avons fait preuve d'un maximum d'exhaustivité.

Stephen Oui. Et maintenant, vous spectateurs qui nous rejoignez à l'instant, je pense que vous auriez intérêt à investir dans un abonnement à un magazine télé, non ? Ainsi vous pourriez programmer correctement ce que vous désirez visionner. Après tout, vous ne commenceriez pas à lire un roman au cinquième chapitre, hein ?

Deborah Si. Si les quatre premiers ne valaient rien.

Stephen Oh, taisez-vous ! Passons à présent aux causes situées derrière, dessous ou légèrement en biais de cette croissance de la démence en Grande-Bretagne… dans un sens, quelles sont-elles ?

Deborah Eh bien, nous avons examiné un certain nombre de facteurs…

Stephen Pardon, qui est ce « nous » ?

Deborah Ma mère et moi.

Stephen Très bien.

Deborah … et une femme prénommée Alice.

Stephen Bon.

Deborah Et nous sommes arrivées à une conclusion très intéressante. Pour l'essentiel, la démence ressemble à la charité bien ordonnée. Elle commence par soi-même.

Stephen Pour le coup, voilà qui est intéressant.

Fascisme

Hugh et Stephen, en cravate blanche, boivent du cognac, dans une sorte de club. Il y a aussi, peut-être, un portrait de Hitler au-dessus d'un manteau de cheminée.

Hugh Gayle ?

Stephen Oui, Leonard ?

Hugh Comment allons-nous faire, je me le demande ?

Stephen Faire quoi ?

Hugh Comment allons-nous rendre le fascisme populaire dans ce pays ? Populaire et excitant.

Stephen Oh, ça. Oui. Ça frise un peu la folie chez toi, n'est-ce pas ?

Hugh Je crois que ça frise un peu la folie, chez moi.

Stephen Et pourtant, si on me posait la question, je ne te traiterais jamais de fou.

Hugh Je crois que je te paie assez bien pour me rendre ce service, non ?

Stephen Oui, en effet. Je ne voulais pas dire…

Hugh Peut-être est-ce ce soupçon de démence qui nous maintient tous sains d'esprit.

Stephen Oui. Enfin, cela m'étonnerait.

Hugh Mais comment faire ? Comment rendre le fascisme excitant et capital ?

Stephen Il faut tendre la main aux jeunes.

Hugh Tu crois ?

Stephen Bien sûr. Les jeunes, après tout, sont la semence et le grain à moudre de notre société. Les jeunes sont l'avenir.

Hugh Oui. Ou du moins, ils le seront.

Stephen Non. Ils le sont.

Hugh Ah bon ?

Stephen Oui. Ils seront le présent, mais ils sont l'avenir.

Hugh Bon, bon. Alors comment rendre le fascisme vivant pour les jeunes ?

Stephen On pourrait faire une campagne de pub.

Hugh Gayle, chère vieille branche, à quoi penses-tu ? Une campagne de pub ?

Stephen Je pense, Leonard, qu'il faut utiliser les outils d'aujourd'hui pour un boulot d'aujourd'hui.

Hugh Continue.

Stephen Si l'on veut être couronnés de succès.

Hugh Oui.

Stephen Dans notre entreprise.

Hugh Oui ?

Stephen Tout est là, j'en ai bien peur.

Hugh Je vois. Et quels sont les outils d'aujourd'hui, d'après toi ?

Stephen Oh, nous avons l'embarras du choix. Par exemple, la publicité. La musique pop. Les films. Les magazines. Les images de sexe et d'attitudes cools qu'on voit partout.

Hugh D'attitudes cools.

Stephen D'attitudes cools. Branchées. Relax. Pas prises de tête.

Hugh Et donc, on doit rendre le fascisme…

Stephen Cool.

Hugh Cool.

Stephen Primo, on doit lancer une mode vestimentaire.

Hugh Mmm. À base de cuir, obligatoire.

Stephen De cuir, oui.

Hugh Et de dentelles.

Stephen De cuir et de dentelles, oui.

Hugh Avec des revers en coton.

Stephen Excellent. Tu vois, on a déjà un look.

Hugh Et où va-t-on les trouver, ces jeunes ?

Stephen Partout où le sang, l'argent et les conversations sexys coulent à flots, et en toute liberté, on trouvera des jeunes.

Hugh Mais que leur dirons-nous ? Comment les persuader de renoncer à leurs cours de patinage et au jazz afin de se tourner vers le fascisme ?

Stephen Mmm... Leonard, je me demande si tu n'es pas un peu *out*.

Hugh Gayle, s'il te plaît. Tu es mon lieutenant, mon pense-bête.

Stephen En effet.

Hugh Dis-moi ce que je dois dire.

Stephen Tu dois t'adresser ainsi aux jeunes : Ô vous, les jeunes, qui êtes si neufs, vibrants et dynamiques, voici un tempo nouveau, un son nouveau, un look nouveau, et c'est vous, oui, carrément !

Hugh Ils vont me rire au nez.

Stephen Au début… et à la toute fin, oui. Mais entre les deux, ils t'écouteront.

Hugh Hmm. D'accord. Vous, les garçons comme les filles, pigez bien ce que je vais vous dire. Le fascisme est cool. Le fascisme, c'est du cuir et des dentelles, avec des revers en coton.

Stephen Bien.

Hugh Jetez vos transistors. Sortez de ces lieux enfumés où le café ne coûte presque rien et l'amour est gratuit. Rejoignez notre mouvement.

Stephen Et pendant que leur corps se trémoussera en saccades à la douce musique de ces mots, il nous faudra d'une façon ou d'une autre introduire le sujet de la ségrégation raciale et de l'abolition des élections.

Hugh On pourrait glisser des sachets cadeaux de crème pour le visage dans nos magazines.

Stephen Et pour les femmes ?

Hugh Gayle. Il n'y a aucune place pour les femmes dans notre ordre millénaire.

Stephen Mais Leonard, les femmes ont certaines fonctions utiles.

Hugh Par exemple ?

Stephen La lecture des infos.

Hugh Pourquoi t'obstiner à appeler ça comme ça ?

Stephen Parce que ça m'excite.

Hugh Pour en revenir au sujet de la pureté raciale, peut-être qu'une campagne de promotion à l'échelon national...?

Stephen Excellent.

Hugh Je la mènerai.

Stephen Oh mais tu ne peux pas.

Hugh Et pourquoi, je t'en prie ?

Stephen Pourquoi prier ? Dieu n'existe pas.

Hugh Non, je veux dire... passons.
Et pourquoi ne puis-je pas mener cette campagne nationale ?

Stephen Parce que ta grand-mère avait un quart de sang italien. Je présenterai les spots.

Hugh Toi ? Toi, dont le parrain est juif ?

Stephen Ma sœur en tout cas n'a pas épousé un gallois, elle.

Hugh Mieux vaut épouser un gallois que manger du yaourt grec.

Stephen Mieux vaut du yaourt grec qu'une glace cornouaillaise.

Hugh Stop, stop ! Tu ne vois pas ? On nous monte l'un contre l'autre. Nous présenterons les spots ensemble.

Stephen Oui. Ensemble.

Hugh Nous prendrons pour slogan : « Ce Bon Vieux Fascisme des Familles. Aussi Vrai Hier qu'Aujourd'hui. »

Stephen Mais Leonard, mon vieil ami de toujours, il s'agit d'un fascisme nouveau, on est bien d'accord ?

Hugh D'accord. « Un Nouveau Fascisme au pH neutre, un Tout Nouveau Monde de Bonté Naturelle, à portée de bouchon. »

Stephen De bouchon ?

Hugh Pourquoi pas ?

Stephen Et que dirais-tu de : « Maureen Lipman[1], lettres à propos du Nouveau Fascisme ? »

Hugh Elle ferait ça ?

Stephen Je ne vois pas pourquoi elle refuserait.

Hugh J'ai trouvé. « Vous pour qui le fascisme n'est que pas de l'oie et casques à pointe, jetez un simple coup d'œil à ce que nous faisons. Disponible aussi sous forme d'échantillons. »

Stephen *Das Sieg wird unser sein*[2], comme on dit en Allemagne.

Hugh Détestez-vous assez quelqu'un pour lui refiler la dernière nouille de votre bol ?

Stephen Fascisme. Moins de Matières Grasses, Plus de Goût. Telle est la promesse fasciste.

Hugh Comme avec Lenor.

Stephen C'est Ideal (l'expert couleur).

Hugh Ce que j'aimerais être jeune...

Stephen Moi aussi.

---

1 Célèbre actrice britannique, interprète de la mère dans *Le Pianiste,* de Roman Polanski, film retraçant l'histoire du ghetto de Varsovie. (N.d.T.)

2 « La victoire sera nôtre. » (N.d.E.)

VOX POPULI

Hugh C'est parfaitement conçu, vous voyez. Il suffit d'imaginer les pompes sans plomb alignées ici, le diesel et le GPL juste en face... ma foi, voyez-vous, je préfère de beaucoup ça.

Architecte

Stephen est assis derrière, hé oui, un bureau, où est posé ce qui ressemble à la maquette d'un grand ensemble plutôt agréable d'aspect. Bien faite, avec des arbres, un cours d'eau, des promeneurs de chien en modèle réduit et cetera. Hugh la commente.

Hugh Et pour me résumer, je pense… ou ce que j'espère avoir réussi à atteindre avec ce projet, c'est une nouvelle direction. On y met fortement l'accent sur la qualité de vie quotidienne des habitants. Je sais que cela ne correspond pas exactement au *brief* initial, mais j'espère que vous serez d'accord pour reconnaître qu'il présente des qualités qui le mettent vraiment à part de toute autre conception contemporaine. Ah. Oui, vraiment, c'est ça. Je suis au comble de l'excitation.

Stephen Oui.

Hugh Alors, qu'en pensez-vous ?

Stephen Ahum, Mr Vantardiza…

Hugh Soyez franc, je vous en prie.

Stephen Je le serai. Je le serai. Mais avant toute chose, puis-je vous demander pourquoi vous avez choisi de vous écarter de la... euh... de la tradition, dirons-nous...

Hugh Vous voulez dire de la vieille approche en boîte à chaussures.

Stephen C'est ça.

Hugh Lignes strictes, rectangulaires...

Stephen C'est juste. En boîte à chaussures.

Hugh Eh bien pour être franc à mon tour, Mr Maigrechaud, ce style-là, c'est out, c'est mort. Brutalité, modernité, post-modernité, toutes ces désinences en « té », c'est terminé. Il faut prendre en considération la vie des habitants.

Stephen Oui, tout à fait. Le hic, c'est qu'en vous demandant une boîte à chaussures, on voulait vraiment dire une boîte pour y mettre des chaussures. Nous sommes des fabricants de chaussures, voyez-vous. Et on a vraiment besoin de mettre nos chaussures dans une boîte.

Hugh Oh je sais ça. Je le sais. Mais en perpétuant ces mêmes vieilles prisons rectangulaires, vous ne faites qu'étouffer l'esprit humain. J'essaie, moi, de le libérer.

Stephen Ma foi, c'est... tout ça est très bien. Mais, voyez-vous, cela me laisse avec le problème de l'endroit où mettre nos chaussures sur les bras. Il me faut une boîte où les ranger, voyez-vous ? J'ai besoin d'une boîte à chaussures.

Hugh Besoin ? Qui sommes-nous pour dire ce qui est nécessaire et favoriser une idée conceptuelle de génie qui gâchera la vie des générations futures ?

Stephen Je ne crois pas que nos boîtes à chaussures aient gâché la vie d'une génération X, Y ou Z.

Hugh Ben, je n'en serais pas si sûr à votre place.

Stephen Nick. Laissez-moi formuler la chose ainsi. Pour moi, une boîte à chaussures est juste un dispositif pour contenir des chaussures.

Hugh Ah oui ? Et que l'esprit humain aille se faire voir, c'est bien ce que vous dites ?

Stephen Pas vraiment.

Hugh Je sais ce qui coince. C'est le prix, n'est-ce pas ? Vous avez peur de ce que ça va coûter.

Stephen Non, j'ai peur de ne pas savoir où ranger nos chaussures.

Hugh Eh bien, oubliez l'aspect financier. Car il y a certaines choses qu'on ne peut pas calculer jusqu'au moindre sou. Je parle là des vies humaines.

Stephen Oui, et moi, voyez-vous, je vous parle de chaussures.

Hugh Oh, les chaussures, les chaussures. Vous n'avez que ça en tête ?

Stephen Quand je travaille, oui.

Hugh Ma foi, alors, je vous plains. À vrai dire, vous me faites pitié.

Stephen Ben…

Hugh Mais je vais vous construire une boîte à chaussures, si c'est ce que vous voulez. Je ne sais pas comment je ferai pour me regarder dans la glace, mais si c'est ce que vous voulez, je vous construirai une jolie boîte à chaussures, rectangulaire, ordinaire, solide.

Stephen Merci.

Hugh s'empare de la maquette.

Hugh Je vais remporter ceci, alors.

Stephen Non, non. Laissez ça ici. Je pense qu'on peut trouver à l'utiliser.

Hugh Quoi ?

Stephen Certains de nos ouvriers pourraient avoir envie d'y vivre.

VOX POPULI

Hugh (*Se giflant assez fort, l'air furieux)* : J'ai été un enfant battu et ça ne m'a fait aucun mal.

Critiques 4

Bonjour, les fauteuils pivotants sont de retour

Hugh Simon Clituris. Vous avez vu ça ? À votre avis, à quoi avons-nous assisté, là ?

Stephen Ma foi, voyez-vous, nous avons encore eu droit à un assez banal, plutôt prévisible... à vrai dire je ne retrouve plus le mot que j'emploie d'habitude pour qualifier ça.

Hugh Pétard mouillé ?

Stephen Si vous voulez. Une sorte de canular bidon caricatural grotesque de pastiche parodique.

Hugh Et l'interprétation des deux rôles principaux ?

Stephen J'aurais été bien content de pouvoir les applaudir.

Hugh (*Riant de cette boutade*) Oui, oui. Combien j'apprécie votre utilisation habile et originale des mots.

Stephen Oh merci infiniment.

Hugh De rien. Si j'ai bien compris, votre utilisation habile et originale des mots vient d'être récemment mise en volume.

Stephen C'est exact.

Hugh L'ouvrage a-t-il été bien accueilli ?

Stephen Ma foi, vous savez comment sont les critiques. Que savent-ils du travail que nous faisons ?

Hugh Parfaitement, parefaitement. Parefaitement parlant. Mais pour en revenir à ce canular bidon caricatural de pétard mouillé conventionnel.
Mon principal souci, c'était qu'il ne nous apprend rien de la relation entre les deux personnages principaux.

Stephen C'est exact. L'exactitude même. Si certaines personnes ont pu être légèrement amusées par ce genre de ridiculerie, où était la vérité sur les relations humaines dans l'Angleterre d'aujourd'hui, de maintenant, de ce soir, de cet après-midi ?

Hugh On ne pouvait certes pas la voir de mon point de vue.

Stephen Non, et j'ai détesté.

Hugh C'est ça. On peut leur donner deux sur dix pour leurs efforts, alors.

Stephen Ça n'était pas votre tasse de thé ?

Hugh Non. (*Saisissant sa tasse de thé*). Voici ma tasse de thé, en fait.

La chute de Marjorie

Un genre de salon d'époque. Stephen trifouille une pendule posée sur le manteau de cheminée. Hugh entre, l'air très inquiet.

Hugh Thomas ! Mauvaises nouvelles, je le crains.

Stephen Rien qu'un instant, John. J'ai promis à Marjorie de réparer cette pendule. Tu pourrais me donner un coup de main ?

Hugh Un grand coup ?

Stephen Un petit suffira.

Hugh Passons, Thomas, écoute-moi. J'ai de mauvaises nouvelles.

Stephen Quelles mauvaises nouvelles ?

Hugh C'est Marjorie.

Stephen Marjorie ?

Hugh Elle a fait une chute.

Stephen Marjorie a fait une chute ?

Hugh J'en ai bien peur. Elle est sortie monter Coup de tonnerre ce matin mais n'était pas encore rentrée quand Mrs Mempwaster est arrivée. Il se trouve qu'elle a fait une chute.

Stephen Du calme, John. Marjorie a fait une chute ?

Hugh Oui.

Stephen De cheval ?

Hugh Oui bien sûr, de cheval.

Stephen Je ne vois pas d'où vient ce « bien sûr », John. Les femmes de nos jours sont capables de tomber de n'importe quoi. Pas forcément de cheval.

Hugh Non, d'accord. Mais en l'occurrence, si.

Stephen Elle aurait pu tomber d'une chaise, d'une table, d'un piano, de n'importe quoi.

Hugh Oui, sauf que dans ce cas précis, elle était à cheval quand ça lui est arrivé.

Stephen Quand elle est tombée ?

Hugh Oui.

Stephen Donc, tu t'es fait le raisonnement : Marjorie est tombée de cheval ?

Hugh Oui. Coup de tonnerre.

Stephen Coup de tonnerre, tu dis ?

Hugh Oui.

Stephen Bon, Coup de tonnerre est un cheval, très bien.

Hugh Exactement.

Stephen Rien de cassé ?

Hugh Trop tôt pour le dire. Cavendish l'examine en ce moment.

Stephen Ce vieux crétin. Que connaît-il aux chevaux ?

Hugh Cavendish examine Marjorie.

Stephen Marjorie ? Elle est malade ?

Hugh Non. Elle est tombée de cheval.

Stephen Tombée de cheval ? Alors, il vaut mieux faire venir Cavendish.

Hugh C'est fait, Thomas. Il est au petit salon.

Stephen Les chevaux n'ont rien de petit, John.

Hugh Je le sais, Thomas.

Stephen Tu tombes de cheval, tout peut arriver.

Hugh Parfaitement.

Stephen (*Un temps*) Enfin, pas absolument « tout ».

Hugh Non. Pas « tout ».

Stephen Je veux dire que cette pendule ne deviendra pas Premier ministre, simplement parce que quelqu'un fait une chute de cheval. Je ne voulais pas dire « tout » dans ce sens-là.

Hugh Non, évidemment, Thomas. De toute façon, Cavendish l'examine en ce moment.

Stephen Tu as dit qu'il était dans le petit salon.

Hugh Oui. Il examine Marjorie.

Stephen Et où est elle ?

Hugh Elle aussi est dans le petit salon.

Stephen Ah ah. Ils sont donc tous les deux dans le petit salon ?

Hugh Oui.

Stephen J'avais tort peut-être. Il n'est peut-être pas si crétin après tout.
Comment va-t-elle ?

Hugh Trop tôt pour le dire. Elle semble avoir fait une sacrée chute.

Stephen De cheval ?

Hugh Oui.

Stephen Coup de tonnerre ?

Hugh Oui.

Stephen Mais qu'est ce qui lui a pris à Marjorie de tomber de Coup de tonnerre ?

Hugh Tu sais combien Marjorie adore chevaucher, Thomas.

Stephen Elle chevauchait Thomas ?

Hugh Non, non.

Stephen Thomas, c'est moi, John.

Hugh Je sais.

Stephen Elle ne me chevauchait pas. Ton histoire est un peu tordue sur ce point, mon vieux. Ça ne tient pas debout. Tu disais qu'elle montait Coup de tonnerre.

Hugh Oui, elle le montait.

Stephen Elle le montait ?

Hugh Oui.

Stephen Mais elle ne le monte plus ?

Hugh Non. Elle a fait une chute.

Stephen Bon Dieu.

Hugh Je sais.

Stephen Où est-elle ?

Hugh Dans le petit salon.

Stephen Elle montait Coup de tonnerre dans le petit salon ?

Hugh Non. Elle a fait une chute à Stratton Brook, là où l'allée cavalière se sépare. Le jeune Cottrell l'a trouvée et l'a portée dans le petit salon.

Stephen Il aurait mieux valu à l'écurie, tu ne crois pas ?

Hugh Quoi ?

Stephen Le petit salon n'est pas un endroit pour Coup de tonnerre.

Hugh Marjorie.

Stephen Que veux-tu dire ?

Hugh Marjorie est dans le petit salon.

Stephen Avec Coup de tonnerre ?

Hugh Non. Coup de tonnerre est à l'écurie.

Stephen Ah bon. Tout va bien, alors.

Hugh Tout ne va pas bien, Thomas. Elle a fait une mauvaise chute.

Stephen Elle est blessée ?

Hugh Trop tôt pour le dire. Cavendish est auprès d'elle actuellement.

Stephen Cavendish ? Il est médecin, non ?

Hugh Oui.

Stephen Je me demande s'il s'y connaît en pendules.

VOX POPULI

Stephen J'ai commencé sur le piano puis suis passé sur le manteau de la cheminée.

« Burt' »

Stephen interviewe Hugh (voix rauque style Richard Harris slash Peter O'Toole slash Oliver Reed slash l'acteur typiquement brut de décoffrage)

Stephen Avez-vous vraiment connu Richard Burton intimement ?

Hugh Oh oui. Mais dans la mesure où on peut dire que quiconque l'a vraiment « connu ». Oh oui, j'aimais beaucoup « Burt' ». C'était un sacré personnage, voyez-vous.

Stephen Et bien entendu, Elizabeth Taylor…

Hugh Ma foi, Liz était la joie, un rêve, un trésor. Si vous les aviez vus ensemble…

Stephen Les avez-vous…

Hugh Oh oui. Maintes fois. En fait, j'étais témoin à leur mariage.

Stephen Lequel ?

Hugh Tous.

Stephen Et John Gielguld et Ralph Richardson ? Vous devez les avoir…

Hugh Ils ne se sont jamais mariés, bien entendu.

Stephen Non, mais vous les avez connus ?

Hugh Oh bon Dieu, oui. De vrais personnages. « Giel' » et « Rich' » me demandaient conseil, tout le temps. Ils m'appelaient leur « gourou. »

Stephen Et à peu près à la même époque, vous avez dû rencontrer…

Hugh À peu près tout le monde, en fait.

Stephen Grands dieux.

Hugh Oh oui. Je connaissais tout le monde, et tout le monde me connaissait.

Stephen C'est extraordinaire.

Hugh J'ai eu vraiment de la chance.

Stephen Mmm. Que pensiez-vous de Simon Condywust ?

Hugh Simon…

Stephen Condywust. Vous ne l'avez pas connu ?

Hugh Ah mais oui, je l'ai connu. Oui, tout le monde connaissait « Condy ». Oui. Stupéfiant personnage, vraiment, oui.

Stephen Oui. Et Margaret Cahincahaquasimodo-do ?

Hugh Mmm. Ça, Margaret était fascinante. Elle m’a fasciné de nombreuses, nombreuses années.

Stephen Était-elle un personnage stupéfiant ?

Hugh Non. C’était une femme. Les hommes étaient des personnages. Margaret était fascinante.

Stephen Je vois. Colin Sanssepresséekeskevous-croyez ?

Hugh Quel personnage.

Stephen Fenella Hahahahahabananasplit ?

Hugh Quelle femme fascinante.

Stephen Peter Wouiiiiiiiiiiiiiiiiiiiii ?

Hugh Alors, lui, en voilà un personnage. On a brisé le moule après avoir fabriqué Peter.

Stephen Angela Brisélemoulaprèsavoirfabriqué-Peter ?

Hugh Quelle femme délicieuse.

Stephen Cliff Richard ?

Hugh Qui ça ? Vous venez de l’inventer, celui-là.

Poulet

Stephen et Deborah dînent au restaurant.

Stephen Puis son regard se brouille, il se rengorge et dit – « Je le fais pour mon pays » ... et il se transperce la tête avec une paire de ciseaux. Alors, l'Irlandais dit...

Hugh entre, en serveur, poussant un chariot.

Hugh Êtes-vous prêts à passer au plat de résistance, à présent ?

Stephen Je crois que oui.

Deborah Oui, s'il vous plaît.

Hugh Excellent.

Stephen Je peux vous demander quelque chose ?

Hugh Certainement.

Stephen Comment faites-vous ?

Hugh Comment je fais quoi, monsieur ?

Stephen Comment pouvez-vous entendre de l'autre bout du restaurant l'instant exact où j'approche de la chute d'une blague ? C'est la quatrième fois que vous me faites le coup depuis que nous sommes là.

Hugh Bonne question, monsieur. En fait, un tout petit micro est caché sous le cendrier.

Stephen Ah, je vois.

Hugh Et nous avons un récepteur à la cuisine, donc vous voyez… c'est très simple, en réalité.

Stephen Oui. Je me posais juste la question.

Hugh L'agneau ?

Deborah Oui, s'il vous plaît.

Hugh Très bien, madame.

Hugh pose l'agneau dans une assiette devant Deborah.

Deborah Merci.

Stephen Où en étais-je ? L'Anglais… hum… oh et puis merde…

Hugh (*Tout en servant Deborah de légumes*) L'Anglais dit « Je le fais pour la Reine » et saute par la fenêtre…

Stephen C'est cela, oui. Alors, l'Écossais dit « Je le fais pour mon pays » et hum…

Hugh Se transperce la tête avec la paire de…

Stephen … ciseaux, c'est ça. Puis, l'Irlandais dit…

Hugh Et le poulet, c'est pour vous, monsieur ?

Stephen Tchht. Quoi ?

Hugh Poulet Lacroix. Préparé à votre table.

Stephen Oui, merci beaucoup. L'Irlandais…

Hugh soulève un énorme couvercle et découvre un poulet vivant, de préférence en train de glousser.

Deborah Oh mon Dieu !

Stephen Quoi ?

Hugh Poulet Lacroix.

Hugh se met à aiguiser un couteau.

Stephen Que faites-vous ?

Hugh Ce que je fais ?

Stephen Oui.

Hugh Je dois m'assurer, monsieur, que le couteau est tranchant à souhait.

Stephen Je parle de ce poulet… il est vivant !

Hugh Ah. Plus pour très longtemps, monsieur.

Deborah Je crois que je vais vomir.

Hugh Oh. Quelque chose ne va pas avec l'agneau, madame ?

Stephen Vous n'allez pas tuer ce poulet, ici ?

Hugh Certainement. Il s'agit d'un Poulet Lacroix, monsieur. Tel que vous l'avez commandé. « Une jeune volaille fraîche, dodue, préparée à votre table. »

Hugh lève le couteau.

Stephen Attendez ! Ne... ne le tuez pas !

Hugh Que je ne le tue pas ?

Stephen Non !

Hugh Vous préférez le manger vivant ?

Stephen Non.

Hugh Eh bien, alors...

Stephen Arrêtez ! Je vous le répète – ne tuez pas ce poulet.

Hugh Il y a un problème, monsieur ?

Stephen Oui, il y en a un. Vous ne pouvez pas tuer ce poulet.

Hugh Et pourquoi pas, monsieur ?

Stephen Ma foi... vous le savez bien.

Hugh Non.

Stephen À cause des lettres.

Hugh Des lettres ?

Stephen Oui.

Hugh De qui ?

Stephen Oh, je ne sais pas. De gens furieux.

Hugh Quels gens furieux ?

Stephen Des gens furieux. « Pourquoi, mais pourquoi, mais pourquoi, mais pourquoi, ma grand-mère âgée seulement de six ans a été forcée de regarder un poulet se faire tailler en pièces au nom d'un soi-disant divertissement ? » Ce genre de chose.

Hugh Eh bien, ce n'est pas pire que de se faire tailler en pièces au nom d'un soi-disant repas.

Stephen Ma foi, je le sais ça.

Deborah En fait, ça l'est.

Hugh Je vous demande pardon ?

Deborah Je trouve que c'est pire.

Hugh Ah vous trouvez ?

Deborah Oui.

Hugh Vraiment ?

Stephen Oui, ma foi, ça se tient.

Hugh Ah bon ? Eh bien, posons la question au poulet, non ? Préfères-tu mourir en jouant un rôle dans un sketch de télévision ou bien préfères-tu finir direct dans un sandwich sous vide, ni pleuru ni connu ?

Deborah C'est juste ce que je ressens. Désolée.

Hugh Qu'est-ce qui vous prend ? Il a passé un bon moment. On lui a montré le studio et tout le reste, pas vrai ?

Stephen En fait, je serais plus heureux si vous ne le tuiez pas.

Hugh Quoi ?

Stephen Je serais plus heureux si vous ne tuiez pas ce poulet.

Hugh Plus heureux ? Qu'est-ce que le bonheur vient faire là-dedans ?

Stephen Pour être franc, je n'ai jamais vraiment aimé cette idée.

Hugh « Jamais vraiment aimé » ?

Deborah Je n'en raffole pas non plus.

Hugh Eh bien, il est évident que si tout le monde fait la fine bouche au dernier moment, il va falloir qu'on annule.

Stephen Je le pense.

Hugh Bien.

Stephen À la réflexion, je prendrai juste une salade verte.

Hugh Une salade verte ?

Stephen S'il vous plaît.

Hugh Très bien, monsieur.

Hugh sort en poussant le chariot au poulet.

Stephen Je crois que c'était la bonne décision.

Deborah Moi aussi.

Stephen Enfin, bref, l'Irlandais dit donc...

Stephen est interrompu par une série de cris violents, terrifiants.

Stephen Mais quoi encore ?!

Hugh entre avec un saladier.

Hugh Vous n'avez jamais entendu crier une laitue ? Effrayant, n'est-ce pas ?

Stephen Quoi ?

Hugh Vous ne le saviez pas, n'est-ce pas ? Vous pensiez que les laitues poussaient dans des sachets stériles en plastique, sur les rayons des supermarchés. Il ne vous était jamais venu à l'esprit qu'une laitue pouvait avoir des sentiments, des espoirs, des rêves, une famille...

Stephen Au cul la laitue ! Allez-vous me laisser finir ma blague !?

Hugh Oh, pardon.

Stephen Alors, l'Irlandais dit...

On enchaîne sur ce qu'on veut.

VOX POPULI

Stephen J'aime bien la façon dont elle *commence.*

Cacao

Une maison de retraite. La chambre de Mr Simnock. Lit, canapé, ad libitum.

Stephen (*Employé*) Tout va bien, Mister Simnock ?

Hugh (*Originaire du Yorkshire*) Hân ?

Stephen Je vous demande si tout va bien, Mister Simnock.

Hugh Mavoir mon cacao.

Stephen Oui, vous aurez votre cacao dans un p'tit instant. Je vais tirer les rideaux, non ?

Hugh Hân ?

Stephen Je vous dis que je vais tirer les rideaux – ce sera un peu plus intime. Ça vous donnera un peu plus d'intimité.

Hugh Tirer les rideaux, intime ça. Cacao.

Stephen Mais oui, votre cacao ne va pas tarder, Mister Simnock.

Hugh Rideaux.

Stephen (*Les tirant*) Là, voilà qui est mieux. La nuit tombe plus vite, n'est-ce pas, Mister Simnock ? Et les jours rafraîchissent. Je ne sais pas, mais le temps s'envole, c'est fou. Il me semble que Noël, c'était juste hier. Ah non, c'est quoi, ça ? Vous avez laissé tomber vos magazines.

Hugh J'les ai pas aimés. Y a rien que des bêtises dedans.

Stephen Je vais vous les ramasser – voyons voir ce que nous avons là.

Comme Stephen se penche pour ramasser, Hugh lui file une bonne claque sur l'oreille.

Stephen Ouille, là. C'était pas très gentil, ça. Me frapper de la sorte. Pourquoi aller faire ça ?

Hugh Veux mon cacao.

Stephen Il arrive, votre cacao – même si je ne suis pas sûr que vous le méritiez à faire de tel caprices aujourd'hui. Qu'est-ce que vous me réservez encore ? Vous êtes un méchant homme, Mister Simnock. Je vais vous border, attendez.

Hugh J'ai quatre-vingt-douze ans.

Stephen C'est exact, quatre-vingt-douze, hein ? Quatre-vingt-treize en novembre.

Hugh Quatre-vingt-douze ans, et on m'a jamais fait une pipe.

Stephen Je m'en serais douté, en effet. Une pipe ! Quelle idée.

Hugh Jamais monté à dos de chameau.

Stephen Là, vous babillez à tort et à travers, Mister Simnock

Hugh Je n'ai jamais regardé une femme en train de pisser.

Stephen Je vais être très fâché contre vous, si ça continue, très, très fâché.

Hugh Jamais tué un homme.

Stephen Vous savez, Mister Simnock, il y a un homme que je vais envisager de tuer s'il ne fait pas très attention, merci beaucoup d'en prendre note.

Hugh Suis jamais allé à l'opéra. Jamais mangé un hamburger.

Stephen Vous êtes un vieillard stupide, crétin et idiot, je ne veux plus entendre un tel ramassis d'absurdités.

Hugh J'en ai marre, moi. J'ai jamais rien fait.

Stephen Bon, vous devez être frigorifié, ça ne m'étonnerait pas. Vous allez avoir votre cacao dans un instant.

Hugh Veux pas de cette saleté de cacao.

Stephen Allons, ne faites pas la mauvaise tête. Vous adorez votre cacao.

Hugh Je déteste le cacao. Y a de la peau dessus.

Stephen Pas si vous le touillez.

Hugh Ça me file la gerbe, ça, envie de vomir. Je veux qu'une vierge birmane me donne le sein.

Stephen Mais enfin. Quelle mouche vous a piqué aujourd'hui, Mister Simnock ? Je crois qu'on va vous administrer une nouvelle dose de vitamine E. Une vierge birmane ! Et au cœur du Yorkshire !

Hugh Vous avez mauvaise haleine, vous.

Stephen Bien, bien. Mister Simnock, vous ne me visez pas personnellement, j'espère.

Hugh Comme du chou pourri.

Stephen Je suis très en colère contre vous, Mister Simnock.

Hugh Vous êtes une grande chochotte.

Stephen Je ne suis pas une grande chochotte, Mister Simnock, et vous êtes méchant de me traiter ainsi.

Hugh Grande chochotte, fifille, empaffé. Je parie même que vous n'avez jamais fait la chose.

Stephen Je ne tolèrerai pas que vous me parliez sur ce ton, Mister Simnock, je ne le tolèrerai pas.

Hugh Vous ne devriez pas vous trouver dans un endroit pareil, à ce moment de votre vie.

Stephen Quelqu'un doit y être, Mister Simnock. Par dévouement, mais pourquoi je me donne la peine…

Hugh Vous devriez être loin d'ici, à vous faire faire des pipes, à tuer des gens, à regarder des femmes pisser dans les opéras et à manger des hamburgers à dos de chameau. Et à vous faire donner le sein par une vierge népalaise.

Stephen Elle était birmane, tout à l'heure.

Hugh J'ai changé d'avis. Népalaise. Au lieu de ça, vous restez coincé ici à vous faire rudoyer par un vieillard. Vous n'êtes qu'une chochotte, une grande chochotte avec une haleine de hyène.

Stephen Ah vous avez réussi à me contrarier aujourd'hui, Mister Simnock, pour de bon. Je vais aller faire activer votre cacao et à mon retour, je ne veux plus entendre de sornettes de ce genre ! Non mais, franchement !

Stephen sort.

Hugh (*Criant après lui*) Vous êtes une folle perdue, et qui pue. (*À lui-même*) Jamais vu pisser une femme, pas une seule fois. Quel gâchis, c'est tragique, ça.

Stephen (*Entrant à nouveau*) Bien, j'ai réussi à intercepter Mrs Gideon avec son plateau dans le vestibule. Voici donc votre cacao, et ne venez pas me dire que vous n'êtes pas un petit veinard de l'avoir avant tout le monde.

Hugh Hourra !

Stephen Là, juste ce qu'il vous faut, hein ?

Hugh Du cacao.

Stephen Oui. Et un certain vilain garçon a dit certaines vilaines choses, pas vrai ?

Hugh Je regrette, Brian. Je regrette vraiment.

Stephen Ma foi. Dès que vous voyez votre cacao, vous mettez de l'eau dans votre vin. Je ne suis pas sûr que vous le méritiez, là.

Hugh Oh s'il vous plaît, Brian.

Stephen Bon là, tenez. Voilà qui est mieux, hein ?

Hugh C'est du bon cacao, ça.

Stephen Berent's, le meilleur.

Stephen sourit à la caméra.

Voix off, style spot publicitaire

Le bon vieux cacao Berent's. Toujours là. L'Original ou le Nouveau Berent's, préparation spéciale pour les vieilles personnes de votre entourage, avec d'importants additifs de barbituriques et d'héroïne.

Hugh s'écroule, un grand sourire plaqué sur le visage.

Causerie langagière

Stephen et Hugh, dans un studio de télévision, débattent avec animation – Stephen, lui du moins, est animé.

Hugh Eh bien, parlons à la place de la flexibilité de la langue... de l'élasticité linguistique si vous préférez.

Stephen Je crois avoir dit plus tôt que l'Anglais, notre langue...

Hugh Tel qu'il est parlé par nous...

Stephen Tel qu'on le parle, certes oui, nous définit. Nous sommes définis par notre langue si vous voulez, bon, je vous en prie, pour l'amour de Dieu, faites.

Hugh (*À la caméra*) Bonjour ! Nous parlons du langage.

Stephen Peut-être puis-je illustrer mon argumentation – permettez-moi au moins d'essayer. Je soulève cette question: notre langue est-elle capable, l'Anglais en l'occurrence, est-il capable d'alimenter la démagogie ?

Hugh La démagogie ?

Stephen La démagogie.

Hugh Et qu'entendez-vous par démagogie...?

Stephen J'entends démagogie, j'entends une éloquence à forte teneur émotionnelle, une rhétorique cinglante et convaincante. Suivez-moi, si Hitler avait été Anglais, aurions-nous été, en des circonstances similaires, émus, chargés à bloc, enflammés par ses discours incendiaires ou en aurions-nous ri ? Euh, euh, hum, l'Anglais est-il une langue trop ironique pour servir de support au style d'Hitler, son langage aurait-il tout simplement sonné faux à nos oreilles ?

Hugh (*À la caméra*) Nous parlons de choses qui sonnent faux à nos oreilles.

Stephen Très bien, très bien, voyez-vous un inconvénient à ce que je compartimente un peu ? Je déteste le faire mais puis-je ? Puis-je ? Notre langue est-elle fonction de notre cynisme, tolérance, résistance à l'émotion factice, humour et cætera britanniques, ou bien ces mêmes qualités proviennent-elles *ex*trinsèquement – *ex*trinsèquement, de la langue elle-même ? C'est un paradoxe type « l'œuf et la poule ».

Hugh (*À la caméra*) Nous parlons d'œufs et nous parlons de poules.

Stephen Laissez-moi soulever un levreau ici : il y la langue, la grammaire, la structure – ensuite l'énonciation. Écoutez-moi bien, écoutez-moi, il y a le jeu d'échecs et puis, il y a une partie d'échecs. Faites la différence, faites-la pour moi, s'il vous plaît.

Hugh (*À la caméra*) Nous sommes passés aux échecs.

Stephen Imaginez le clavier d'un piano, quatre-vingt huit touches, seulement quatre-vingt huit, et pourtant, et pourtant, de nouveaux airs, de nouvelles mélodies et harmonies sont composés sur des centaines de claviers chaque jour, rien que dans le Dorset. Notre langue, mon jeune ami, notre langue, des centaines de milliers de mots à disposition, des millions puissance millions de possibilités de nouvelles idées légitimes, si bien que je peux dire la phrase qui va suivre en étant assuré qu'on ne l'a jamais prononcée auparavant dans toute l'histoire de la communication humaine : « Tenez fermement, garçon, le nez du présentateur », ou bien, « du lait amical va annuler mon pantalon. » Une phrase, des mots courants, mais jamais jusqu'ici placés dans cet ordre. Et pourtant, oh et pourtant, nous passons tous nos journées à nous dire mutuellement les mêmes choses, à maintes lassantes reprises, vivant de réponses toutes faites, de clichés appris : « Je t'aime », « N'entre pas là », « Tu n'as pas le droit de dire ça », « Ferme-la », « J'ai faim », « Ça fait mal », « Pourquoi je suis obligé ? » « Ce n'est pas ma faute », « Au secours », « Marjorie est morte. » Vous voyez ? C'est une pensée à coup sûr à emmener avec soi pour prendre un thé avec des scones, par un dimanche de pluie.

Hugh regarde la caméra, ouvre la bouche comme s'il allait lui parler, se ravise et s'adresse à Stephen.

Hugh Donc pour vous, le langage est davantage qu'un simple moyen de communication.

Stephen Euh, bien sûr que oui, bien sûr que oui, bien sûr que oui. Le langage est une putain, une maîtresse, une épouse, une correspondante, une caissière, un carré de nettoyage humide gratuit senteur citron ou encore une lingette pratique pour se rafraîchir. Le langage est le souffle de Dieu, la rosée sur une pomme, la douce pluie de particules de poussière qui traverse un rayon du soleil levant quand on retire d'une vieille étagère un volume oublié de journaux intimes érotiques ; le langage est la faible odeur d'urine sur un caleçon, c'est une fête d'anniversaire enfantine dont on se souvient à demi, le craquement d'une marche d'escalier, une allumette crépitante que l'on approche d'un carreau plein de givre, le contact chaud mouillé et fiable d'une couche qui fuit, la carcasse carbonisée d'un Panzer, le dessous d'un rocher de granit, la pousse du premier duvet au-dessus de la lèvre d'une jeune méridionale, des toiles d'araignée envahies depuis longtemps par une vieille paire de bottes d'équitation.

Hugh Bônuit.

VOX POPULI

Hugh Betty battait le beurre pour en faire du babeurre. Si le haut beurre existait, est-ce que Betty le bas-trait ? Ou quelque chose comme ça. C'était avant la prochaine guerre, bien entendu.

Table des matières

Cet ouvrage a été imprimé
en octobre 2014 par

CPI
FIRMIN-DIDOT

27650 Mesnil-sur-l'Estrée

N° d'impression : 125035
Dépôt légal : novembre 2014
Imprimé en France.